인생의 황혼기, 그 빛과 그림자를 담다

지나고 나면 모든 게 아름다운 추억이 된다

박익순

1945년 평택시 팽성읍 석근리에서 출생했다. 천안공업고등학교 기계과를 졸업하고 뛰어난 학업성적에도 가정 형편상 대학에 진학하지 못하고 제지공장에 입사, 사회생활을 시작했다. 제지공장 근무 2년 만에 공무원의 꿈을 안고 시험에 도전, 서울시 공무원이 되었고, 16년간 서울시에서 근무했다. 이후 공무원생활을 뒤로하고 서울시설관리공단에 입사, 20년간 근무했으며, SH공사를 끝으로 공직을 마감했다. 은퇴 후 주택관리사 자격을 취득하여 현재 관리소장으로 현업에서 뛰며 청춘 같은 노년을 보내고 있다. 자신의 삶을 되돌아보고 체험과 성찰을 담아 틈틈이 적어 왔던 글을 다시 정리했다.

박익순 지음

인생의 황혼기

그 빛과 그림자를 담다

지나고 나면 모든 게 아름다운 추억이 된다

목 차

임대아파트 사람들

어둠을 가르며 하루를 연다 9

진실은 통한다 13

생사의 기로 18

어느 죽음 23

어느죽음(속편) 27

나 좋으면 그만인데 31

까마귀 울음소리 37

까마귀 울음소리(속편) 41

나무야 미안쿠나 45

대형 장비의 위력 48

인화가 제일이긴하나 52

長壽寫眞 56

개꿈을 꾸고나서 59

週給 6만원짜리 家長.................................63

신선한 충격 66

어찌 이럴수가 70

아차! 할 뻔한 사고 73

진짜 생일날 77

철 없는 소년 80

짜릿한 쾌감 82

더불어 살아가기

약사할머니 89

아내의 속 마음 92

어린이 놀이시설 안전교육장에서 만난분..................95

인생이나 축생이나 98

효도하기. 효도받기 103

도둑맞으려면 개도 안 짖는다......................106

미심적은 구걸행위 109

세월은 흘렀건만.................................113

부끄럼을 모르는 노인들 116

부부싸움도 부러울 때가 있다더라..........................120

머피의 법칙 123

갈등해소...126

이 또한 因緣일세...130

경자년 정월 열아흐레 풍경 134

向親子心 (향친자심)..138

나이좀 고쳐볼까! 142

울컥이는 마음...145

犬公을 보내며 148

세상에 이런일도 151

인생의 가을 156

인생을 고찰하며

세상만사 마음먹기 달렸더라..................................161

무식이 통하는 경우 164

늙어가는 모습 167

옛날 같으면 나도 大富 170

과거사를 지금 잣대로 재지마라 173

늙어봐야 아느니 178

새로운 도전 182

남의 일이 아닐세! 185

春心 188

생전 장례식이라! 192

나 어릴 땐(1) 194

나 어릴 땐(2) 196

나 어릴 땐(3) 199

나 어릴 땐(4) 202

나 어릴 땐(5) 205

잡초를 보노라면 211

언어의 색깔과 내음 214

새 와이셔츠 219

전방은 이상없다 222

伏中閑談 225

1장

임대아파트 사람들

어둠을 가르며 하루를 연다

새벽 5시
아내가 깰까 소리 안나게 현관 문을 연다.
손엔 매일 조간신문에 연재되는 외국어 스크랩을 들고.

아파트 경비원이 부시시 일어나는 모습과 벌써 일터를 향해 차
에 시동을 거는 부지런한 사람의 모습이 눈가에 와 닿는다.

골목길이 끝나는 간선도로엔 어느새 차들이 씽씽달리고, 횡단
보도의 신호가 바뀌길 기다리는 시민들의 모습도 보인다.
일터로 가는 옷 차림도 있고, 나 처럼 츄리닝 차림도 있다.
가로등 불빛 아래 가끔씩 스크랩으로 눈을 돌려 손에 든 쪽지

의 중국어와 일본어 그리고 영어문장을 통째로 암기하며 산기
슭으로 오른다.

여기부턴 적막과 어둠이 몸을 휘감는다.
어둠이 짙어 약간 공포감도 생긴다..
돌계단과 흙바닥이 희미하게나마 노출되어 어둠속이지만 길을
찾는 데 무리는 없다.

흙바닥을 디디고 조금 오르면 울퉁불퉁한 바위가 버티고 있다.
어둠에 익숙해지며 등산로가 서서히 선명해져 간다.

저 만치 앞에 불빛이 보인다.
"반갑다."
나보다 더 부지런한 분이다.
불빛을 따라 걸으며 "반야심경"을 소리내어 암송해본다.
인기척을 느끼면
"앞서가는 분도 내심 덜 적적하리라."

지팡이를 짚고 오르는 어르신이다.
나보다 연로해 보인다.
내 걸음이 더 빨라 어느새 앞지를 순간이다.
"안녕하세요."

인생의 황혼기, 그 빛과 그림자를 담다

어둠속에서 인사말을 서로 주고 받으며 계속 오른다.

앞 언덕 쪽에서 내려오는 불빛이 보인다.
가까이 가보니 85세 쯤 돼 보이는 노부부다.
어제도 그제도 그 전날도 요근처를 지날 때면 마주친다.

한손엔 후래쉬를 또 한손엔 지팡이를 잡으셨고 할머니는 할아
버지와 팔장을 끼셨다.
참으로 보기 좋은 모습이다.
노부부를 뵐 때마다 존경심에 고개가 절로 숙여진다.
"안녕하세요."
인사를 주고 받으며 다시 길을 재촉한다.

집 떠난지 1시간.
먼동이 트고 길 바닥도 훤하다.
암수 호랑이 형상을 한 거대한 2개의 바위가 호암산 정상에서
위엄을 부린다.

샛 길로 돌아 내려가 호압사 경내의 약수 한 사발 받아 마시고
법당 2곳을 돌며 정성껏 절을 한다.
맘 속의 소원을 곁사람이 눈치 챌까 비밀인체 하며.
석탑 앞을 지나 되돌아 갈 때면 영락없이 만나는 친근한 얼굴들.

헬스장 수리기간 중 줄기차게 이리로 발걸음을 옮겼던 지인들이다.

현관문 가까이 이르면 후각이 발달한 강아지가 아내를 앞세우고 꼬리치며 맞아준다.
아침식사 대용으로 아내가 꾸려놓은 반숙이랑 아로니아 생즙이랑 후딱 먹어치우고 집을 나선다.

아직은 규칙적으로 갈 데가 있어 즐겁다.
비록 직장이 멀어 전철을 3번이나 갈아타야 하지만.
아아! 상쾌한 아침이다.
오늘도 좋은 일만 있어라.

진실은 통한다

벌써 12월 중순이다.

11월 1일 현 직장으로 전근한 이래 정말 눈코 뜰 새 없이 바삐 지나다 보니 세월가는 줄 까맣게 잊었다.

연말이란 게 아직도 실감이 나지 않는다.

직장이 멀어 출퇴근 시간만도 거의 4시간이 걸린다.

단지규모가 작아 직원이라야 고작 사무실엔 교대근무자 2명 뿐이며 경리업무도 관리소장인 내가 겸직해야한다.

그동안 눈코뜰새 없이 바빴던건 실무경험 없던 경리업무를 파악하고 실행하는데 올인했기 때문이다.

그 결과 어제 이미 관리비 부과를 타단지보다 일찍 마감짓고 이제 여유마져 생기게 되었다.

미뤄두었던 경비원 성범죄 조회와 일자리 안정자금 신청도 끝냈다.

그런데 본사 부사장의 전화벨이 울렸다.

단지의 주민중 한분이 직원의 불친절을 꼬투리 삼아 서울시에 민원을 제기했고 서울주택도시공사를 거쳐 위탁업체 부사장에게 하달됐다는 것이다.

내용을 들어본 즉 한달 전의 일이다.

11월 15일 부임한지 보름되는 날.

관리실 직원이 100%로 교체되고 불만을 품은 전직자들이 인계없이 철수후 그들과 통화마져 거절된 상황하에서 관리비 부과 마감하랴, 업무파악하랴, 밀려오는 민원처리하랴, 좌불안석 하던 때였다.

그날 오후 병원에서 퇴원했다는 할머니 한분이 찾아와 도시까스가 안나온다며 조치를 원했다.

나는 서류에 파묻혀 정신이 없었고 과장이 나서서 "할머님, 도시까스는 관리실에서 처리할수 없어요. 도시까스 회사로 연락해야 해요."하고 답변했다.

그러자 할머니는 "전에 있던 직원들은 도시까스직원들을 데리고와 금방 고쳐주더라."하며 불편한 기세로 돌아갔다.
30분쯤 후 딸이란 분이 나에게 전화를 걸어와 '과장이 불친절하다며 교육 좀 잘 시키라'는 훈계조의 통화에 정중히 사과를 드렸다.

잠시후 딸의 전화가 또 왔다. 이 번엔 거품을 문 목소리다.
대뜸 "그때 소장도 자리에 있었다는데 똑같은 사람아니요, 여기가 왜 안심주택인지 시장한테, 도시공사 사장한테 물어보시요. 부임할 때 노인들이 소장 못들어오게 막았다던 데 다 이유가 있군요. 지금까지 거쳐간 소장중 최악의 소장입니다. 내 나이가 지금 64세입니다. 아이 씨팔!" 하면서 전화를 팽기치는 소리가 났었다.
부사장에게 대충 사연을 전달하고 전화를 끊었다.

오후 5시경 1동 7층의 어느세대에서 중년부인이 침착한 목소리로 소장을 찾는 통화가 있었다.
"세면대 물이 잘 안빠지는 데 관리실 직원 2명이 보고 갔지만 자기들은 기술이 없어 못한다며 그냥 갔습니다.
그런 기술도 없는사람을 관리원으로 채용하고 관리비를 받아가는 게 말이 됩니까."

그 분의 말을 듣고 전혀 문외한인 내가 올라갔다.
와이셔츠 차림에 이것 저것 만져보았으나 해답이 없다.
내가 사는 이웃에 단골로 불러 수리하던 사장님과 통화해 자문을 구해봤지만 역시다.

관리실의 대기근무자를 불러 함께 머리를 짰다.
세면대 밑의 고정박스만 없으면 작업이 수월하련만 그럴수도 없다.
내 대신 김계장이 타일바닥에 눕고 나는 세면대 위에서 보조하며 1시간을 헤맨 끝에 결국 해냈다.
세면대에 시커멓게 굳은 찌꺼기가 엿처럼 엉겨나왔다.

작업도중 부인이 미안함을 표시하며 나 더러는 퇴근시간 됐으니 월요일 해달라고도 했다.
알고보니 이 집부인이 한달전 도시까스 안 나온다며 직원이 불친절하다고 서울시에 민원을 낸 장본인이다.
어제 처음 나를 본 부인은 소장이 자기보다 어린줄 알고 막말했다는듯 사뭇 태도를 바꿨었다.

전혀 문외한인 나와 전혀 경험이 없는 김계장이 헌신의 노력으로 해결하는 모습을 보자 부인도 감동한듯 "이거 비싸고 귀한거요"라며 홍삼즙 2봉과 과일 몇개를 비닐봉지에 담아 김계장 손에 쥐어주며 김계장의 이름을 자신의 머리속에 각인시키는 모습이 역력했다.

나도 나오면서 침대에 건강한 모습으로 앉아 있는 89세의 노인에게 한달 전 일을 상기시키며 할머니의 마음을 어루만지는 차원에서 사과드렸다.
할머니도 "이미 지난 일 인데요"하며 겸연쩍어 했다.

부임한지 43일 만의 일이다. 좀 늦었지만 퇴근길 발걸음이 그 어느 때보다 가벼웠던 하루였다.
결국 "진실은 통한다." 나는 이 말을 철석같이 믿고 살아가고 있다.

라~라~라~
오늘은 국민학교 동창 다섯명이 한달에 한번가는 등산일이다.
수원 광교 산줄기 밟으며 기해년의 혼탁한 공기를 마구 토해내고 오련다.
친구들아~ 10시에 보자

생사의 기로

양천구에 있는 아파트단지에서 근무하던 어느해 2월23일의 일이다.
간밤꿈이 별로 안좋았다.
그날 오후 3시경 50대 초반의 남자 3명이 안노인 한분을 모시고 소장실로 나를 찾아왔다.

나는 우선 그들에게 차대접을 하며 무슨 연유인지 물어보았다.
그들중 연장자인 듯한 남자분이 안노인을 가리키며 먼저 말문을 열었다.

"이분은 저의 어머님이시며 옆에 서있는 사람은 제동생들입니다.

저희들 큰형님이 이 단지에 살고있는데 3개월 전부터 통 전화 연락이 안되는 겁니다. 아무래도 무슨 일이 생긴 것이 분명합니다".

이렇게 말하고 있는 그들의 얼굴에는 하나같이 불길함을 예고하는 수심이 드러나 있었다.

"오늘은 열일 제쳐놓고 찾아왔는데, 형집에 도착해 계속 벨을 눌렀지만 인기척이 없습니다. 그래 관리실에서 문 좀 열어주시라고 어려운 부탁을 하러 온겁니다."

그들의 말에 이해는 갔다.
그러나 관리사무소에서도 입주자의 열쇠는 가지고 있지 않았으므로, 경찰의 도움을 청하도록 조언해 주는데 그칠수밖에 없었다.

나의 조언에 따라 그들은 결국 경찰의 도움을 받기로했다.
잠시후 경찰관 2명이 그들의 신고를 받고 현장에 도착했다.
열쇠고치는 분도 곧 도착했다.

열쇠장이가 문을 따는동안 복도에는 긴장감마져 감도는듯했다.
그는 한참동안 현관문의 잠금장치를 만지작 거리더니 분명히

안에 사람이 있다며 문을 쾅쾅두드렸다.
그러나 안에서는 아무런 인기척도 없었다.

할수없이 강제로 문을 따고 경찰관 2명이 앞서 들어갔다.
관리사무소 직원 한명도 뒤따랐다.
경찰관들이 방을 비잉 둘러본후 아무도 없다는 듯이 방문을 나오려할때 뒤따라 나오던 관리사무소 직원이 갑자기 자지러지는 소리를 냈다.

"아아악" "아아악"

그는 차마 못볼 것을 본듯했다.
진정시키고 말을 들어보니 문간방에 목을 맨 새까맣게 탄 시체가 대롱대롱 매달려 있더란 것이다.
나는 담이 약해 차마 들어가 보지는 못했다.

사망자는 3개월전 두번이나 소장실로 나를 찾아와 1시간 가량 세상사는 이야기를 나눈적이 있었으며 성격도 차분했다.
슬하에 자녀는 없었으며 부인과 헤어진후 혼자살고 있다고했다.

그는 수입원이 없어 임대료와 관리비를 거의 1년이나 못내 독촉을 받던 중이었으며 어느곳에서도 그를 반겨줄 만한 사람도 없는듯 했다.

인생의 황혼기, 그 빛과 그림자를 담다

금전적으로 시달리며 돌파구가 마련되지 않자 그는 "자살" 이라는 최후의 길을 선택했던 것이다.
시신은 즉시 국립과학수사연구소의 검시를 거친후 가족에게 인계되었고 당일로 장례가 치러졌다.

참으로 끔찍한 사건이었다.
이런 일이 있고 며칠 지나자 관리사무소의 한 젊은 직원은 무서워서 밤에 당직근무를 못하겠다며 사직해 버렸다.

몇달간 시체가 방치되었던 그집은 소독을 하고 도배장판을 모두 걷어 냈지만, 악취가 심해 거의 2년정도를 공실로 남겨 두어야했다.
가재도구와 집기는 유품만을 전문으로 취급하는 사람에게 의뢰하여 깔끔하게 처리되었다.

요즘엔 홀로 살다가 생을 마감하는 사람들이 의외로 많다.
어딘가에 자식등 연고자가 있겠지만, 아는체하는 경우가 드물다.
그러므로 유품만을 전문으로 취급하는 직업이 지속적으로 생겨나고 있는것이다.

이런 직종이 일본에서는 이미 성업중이라고 한다.
유품정리는 궂은 일임에 틀림없다.

그러나 우리나라도 일본처럼 이런 직종이 신종기업으로 자리잡을 날도 머지 않을것이라는 생각에 서글픔마저 든다.

어느 죽음

여느해 보다도 비가 적어 가뭄걱정을 하는 소리가 지면을 뒤덮던 것이 불과 열흘 전이다.
예보에는 내년봄까지도 가뭄이 계속된다고 한다.
그런데 어찌된 일인지 지난주부터 폭우는 아니지만 자주자주 내리고 있다.

어제도 그랬고 내일과 모레도 그러하단다.
하지만 오늘은 모처럼 맑은 하늘을 드러냈다.

요 며칠간은 눈만 감으면 악몽에 시달려 행여 무슨 일이라도 생길까봐 노심초사하며 지내왔다.

다행히 엊저녁은 아무런 꿈도 없었으며 오늘도 상쾌한 마음으로 새벽운동을 마치고 출근할수 있었다.
그런데 아침 회의시간에 과장이 단지내 어느 세대의 창문에 파리가 떼지어 있다는 보고를 해 왔다.

사실은 얼마 전부터 그 세대 주변에서 구데기가 기어나온단 주민들의 신고가 지속되고 있었다.
구데기 박멸을 위해 직원들은 연일 약도 치고 쓸어내기도 했지만, 자고새기 무섭게 같은 민원이 반복적으로 들어왔던 것이다.

과장의 보고를 받는순간 불길한 예감이 뇌리를 스쳐갔다.
아무래도 그 세대에 무슨 변고가 생긴 것이 틀림없다는 생각이 들었다.

나는 보고를 받은 즉시 112에 신고하고 도움을 청했다.
경찰관들은 신고한지 10여분 만에 오륙명이 신속히 현장으로 출동했다.
그중 한분이 창가의 파리 떼를 보더니 안에 분명 사람이죽어있다고 단언하며 국과수의 감식반원들을 불러냈다.

나도 열쇠 고치는 사람을 불러 문을 열도록 했다.
감식반과 열쇠따는 분이 속속 도착했다.

나와 우리직원들은 숨을 죽이며 긴장하고 있었지만, 경찰관들은 이런일을 일상으로 접하기 때문인지 조금도 평상심을 잃지 않는 모습이었다.

감식반이 안에 들어간 후 반시간쯤 지나자 한분이 먼저 밖으로 나왔다.

"시신의 손이 새까맣게 타 있어"

밖에서 서성대던 동료들을 향해 그가 던진 말이다.

사망자는 이제 64세로 혼자살고 있었다.
아들과 딸이 하나씩 있지만 어디 사는지 알 수 없었다.
그 동안 생활이 어려웠는지 임대료와 관리비가 거의 2년은 밀려있었고, 관리사무소에서 독촉차 전화를 해도 전원이 꺼져 있어 통화가 안되던 상태였다.

아마도 생활고를 비난하다가 마지막 선택을 한 것같다는 생각이 들었다.
시신은 곧 경찰차에 의해 국과수로 이송되었다.

시신이 실려나간 직후 직원들과 함께 세대안을 들어가 보았다.

시신이 있던 요를 걷어보니 구데기가 들끓었다.
사망한지 적어도 한달은 됨직 싶었다.

그동안 이세대에서 삐져나온 구데기들이 복도 여기저기에 산재
해 있었던 것인데, 여지껏 그 원인을 찾지 못하고 헤메이이던
것이다. 소독약을 흠뻑 뿌리긴 했지만 구데기들은 여간해서 죽
지도 않았다.

이 시간 30여세 되는 아들, 딸들은 어디서 무얼하고 있는지 행
방이 묘연하다.
경찰관들이 소재파악에 들어갔으니 조만간 자식들한테 관리사
무소로 연락이 오긴 올 것이다.
점차 세상인심은 각박해지고 인륜의 정도 날로날로 희박해져
가고 있다.

오늘 이분의 죽음처럼 가족이 있어도 의지할 곳이 없어 고독사
로 생을 마감하는 일이 우리주변에서 심심찮게 일어나고 있다.

"어쩌다 세상이 이지경에 이르렀는지.... , 사는게 진정 뭔지... "

오늘 저녁엔 어디가서 쓴 소주라도 마시며 기분전환을 해야할
듯 싶다.

어느죽음(속편)

일기예보를 들으니 우산을 챙겨 나가란다.

집에서 나올때만 해도 구름만 잔뜩 끼었었는데 전철에서 내리자마자 예보가 적중했다.

아파트 입구에는 이미 유족이 보낸 유품정리회사 직원 3명과 차량 한대가 우중에도 작업을 준비하고 있었다.

시신이 실려나갈 때까지만 해도 유족들과 연락이 안돼 걱정하고 있던터인데 다행히 경찰관서의 도움으로 엊저녁 퇴근무렵 고인의 따님과 통화가 가능해졌다.

나와 통화를 마치고난 고인의 따님인 유족이 고맙게도 오늘 아침 일찍 유품정리회사 사람들을 보내준 것이다.

소문은 망자가 거주하던 동(棟)의 거의 모든세대로 알게 모르게
전파되어갔다.
이런 사실을 인지한 주민들은 앞다투어 관리실로 민원을 우후
죽순처럼 쏟아내기 시작했다.

"망자가 거주하는 세대뿐만 아니라, 모든 층의 복도에 소독을
해달라"
"께름직하니 복도 물청소를 다시 실시해달라"
"유품을 하나도 남김없이 모두 깨끗이 치워달라"

주민들의 요청은 모두 수용되었다.
유품정리회사 직원들은 모두 친절하고 성실했다.
보통사람들 같으면 기피하는 일들인데 기꺼이 달려드는걸 보면
서 그들의 삶의 방식에 고개가 절로 숙여졌다.

그들은 점심도 거르면서 유품을 실어냈고, 득실거리는 구데기
박멸을 위해 혼신을 다하는 모습을 보여주었다.
작업이 종료되었다는 신고를 받고 현장으로 올라가봤다.
소독후 죽어나간 그많던 구데기시체를 흡입기로 모두 빨아내
어제 보던것 보다는 훨씬 양호했다.
그러나 구석구석에 숨어있던 놈들이 비집고 나와 점점 구데기
소굴로 다시 변하고 있었다.

인생의 황혼기, 그 빛과 그림자를 담다

작업반의 말로는 모레까지는 구데기가 계속나올수 있으므로 추가소독을 한번 더해야 한단다.
장판밑은 물론이고 싱크대 밑이나 후미진 곳엔 어김없이 구데기들이 잠복하고 있어 장판도 모두 걷어 낸상태였다.

작업이 끝나자 유족으로부터 전화가 걸려왔다.
통화중 상속을 포기할 생각을 하는듯한 느낌이 들었다.
체납된 관리비와 임대료가 많기는 해도 다소간 남는돈이 있으련만, 상속포기 운운하는 걸 보면 고인에게 또다른 채무가 있겠다는 생각이 들었다.

자세한 내용을 들어보려 장례식이 끝난후 관리실로 방문을 주문하자 그리하겠다고 답했다.
그러나 왠지 실현성이 없을 것 같다는 느낌이 든다. 왜일까?

살다보니 세상일이 단조로운게 별로 없음을 알게되었다.
겉으론 다들 행복해 보인다.
그들 주변을 조금만 깊이 파고들면 너나 내나 말못할 어두운 구석이 도사리고 있음을 확인할 수 있다.

어두운 구석이 적은 사람은 밝은면이 많아 행복할 것이고, 어두운구석이 많은 사람은 밝은면이 상대적으로 적어 불행을 느끼며 살게될 것이다.

엊저녁 울적함을 달래려고 마신 술이 과했나 보다.

몸이 자꾸 움츠러 들려한다.

밖엔 아직도 비가 내린다.

이번 비가 멎으면 한파가 온다는데 월동준비를 철저히 해야겠다.

인생의 황혼기, 그 빛과 그림자를 담다

나 좋으면 그만인데

가을 같던 날씨가 돌변해 갑자기 한파가 몰아치니 몸이 움츠러든다.
어제는 바람도 꽤 불고 눈발까지 흩날렸다.
나 있는 서울에는 잠시 눈구경에 그쳤지만, 경기남부지방엔 제법 많은 눈이 왔단다.

하루 동안 많은 지인들이 첫눈내린 아름다운 영상을 핸드폰에 담아 연실 카톡으로 전송해 주었다.
눈은 확실히 비보다 사람의 마음을 설레게 해준다.
첫눈이라면 더더욱 그러하다.
아마 어릴적 각인된 아름다운 추억이 되살아나서 일게다.

직업관념 때문 이겠지만 나는 눈도 비도 그리 달갑지만은 않다.
적당히 오는 눈이나 비라면 마다할 필요가없다.
만일 강우나 강설량이 지나치면 비상근무에 돌입할 마음의 준
비가 필연적이다.

눈과 비로 인해 민원이 속출하고 피해 발생도 우려되기 때문
이다.
그래 항상 뉴스시간엔 일기예보에 귀를 기울이는 습성마져 생
겼다.
내집에서 벌어지는 일이라면 차라리 몸으로 때울수 있어 그래
도 나은 편이다.
몸담고 있는 직장에서 문제가 생기면 참으로 고달프고 책임마
져 뒤따른다.

중구에 근무할 때는 폭우로 남산이 무너저내려 저지대 도로가
물에 잠기고, 바위덩이가 굴러 집채를 허물어 버렸으며 세찬 물
길에 어린이 한명이 하수구로 휩쓸려 들어갔었다.

또 시립장묘사업소에 근무할 때는 집중호우로 묘지가 유실되
고 시신이 나딩굴어 유족에게 한을 심어준일도 발생했다.

눈도 마찬가지이다.

눈이 내리면 빙판길에 넘어져 골절을 입는 환자가 해마다 수없이 발생한다.

내가 관리하는 영역 내에서 이런사고가 발생했다면 뒷처리는 간단치 않다.

그러니 눈과 비가오면 잠인들 제대로 잘수 있겠는가? (그런다고 해결될 일은 아니지만)

여하튼 눈이나 비는 나에게는 아름다움 보다는 기우에 가깝게 접근해온다.

올여름과 가을엔 비가 너무 안와 나라곳곳에서 가뭄으로 애를 태웠다.

역설적이긴 하지만 가뭄 때문에 나는 오히려 편안한 마음으로 한 해를 보낼수 있었다.

적어도 비 때문에 겪어야 할 마음 고생은 면했기 때문이다.

그렇지만 추위가 다가오니 은근히 또 걱정이 앞선다. 비단 눈때문 만은 아니다.

나는 체질상 더위보다는 추위에 약한편이다. 한여름에도 땀이 별로 없다.

주변 사람들이 땀을 주체 못하고 비오듯 흘릴때 쯤에야 내 몸에선 비로소 땀이 솟을 준비나 할 정도이다.

그러니 여름에도 내복이나 양말 따위에서 땀으로 쉰내가 나는 일은 별로 없다.
에어콘이 없어도 나는 큰 불편이 없다.
선풍기 바람마저도 별로 반기지 않는다.
내가 여름나는데는 부채 하나면 족하다.

그런데 겨울만 되면 정반대 현상이 벌어진다.
나이를 먹어감에 따라 이런 현상은 더더욱 두드러지고 있다.
어제 TV에서 보니 노년의 체온은 우리가 상식으로 알고있는 36.5도 보다 낮다고 한다.

몸의 온도가 1도 높고 낮음은 병원균에 대한 저항력과 매우 밀접한 관계가 있다는 것이다.
노년이 되면 누구나 건강을 위해서라도 체온이 떨어지지 않도록 세심한 노력을 기우려야 한다.
추위에 약한 나에게는 더 말할 나위가 없다.

겨울철 내가 건강을 위해 실천하고 있는 것도 바로 체온 지키기이다.
체온을 정상적으로 유지하기 위해 나는 늘상 털목도리를 몸에서 떼어놓지 않는다.
밤에 잘 때마저 답답하기는 하지만 목도리를 착용한 채로 잔다.

내복도 겨울이면 나의 반려자이다.
요즘은 기능성 내복이 많아 그리 우둔하게 느껴지지도 않는다.
거기다 털모자 하나 뒤집어쓰면 금상첨화다.

모자도 폼나는게 많지만 나는 옛날 할아버지들이 쓰는 빵떡모
자를 좋아한다.
빵떡모자를 눌러쓴 내 모습을 보면 영락없는 군밤장수나 군고
구마 장사를 연상할수 있다.
이모자를 쓰면 머리에 착 달라 붙어 바람이 스밀틈이 없고 더구
나 털실로 짜여져있어 따뜻하기 그지없다.

오늘 아침은 서울의 기온이 영하 6도까지 떨어졌다.
예보를 듣고 출근하면서 옷장에 잠자던 털실로짠 채양없는 빵
떡 모자를 처음으로 다시 꺼내 들었다.
머리에 눌러쓰니 이깟 추위 아무것도 아니란 느낌이 왔다.
오전 회의가 끝나자 한주민이 채양이 달린 모자 하나를 들고 들
어와 나에게 내밀었다.

"소장님, 아침에 모자쓰고 오시는걸 보고 모자가 좋아 보이길
래 두개 샀습니다.
그 모자 쓰고 다니는거 보다 이게 훨씬 폼이납니다. 한번 써 보
시지요"

그가 나에게 선물하겠다고 내놓은 모자를 겸연쩍게 받아들고 머리에 올려놓았다.

"훨씬 멋있어요, 이제부터 이걸쓰고 순찰하세요"

그는 신바람나게 입을 놀렸다.
그러나 나한테는 허룸한 털실 빵떡모자만 못했다.
우선 따스함이 떨어졌다.

썰렁하기만 하다.
그의 성화를 못이겨 받아들고 고맙다는 인사를 하긴했지만, 그가 준 모자를 체면상 쓰고 다녀야 할지 망서려진다.

인생의 황혼기, 그 빛과 그림자를 담다

까마귀 울음소리

이른아침 체육관운동을 마치고 돌아오는데 까마귀 한마리가 유난히 시끄럽게 울어댄다.

울음소리가 귀에 거슬려 소리나는 쪽으로 눈을 돌려보니 까마귀 한마리가 날아가면서 "까아악, 까아악" 소리를 토해내고 있었다.

어려서부터 귀에 못이 박히도록 들어 세뇌가 된 탓인지, 까마귀 울음소리를 들으면 불길함을 예고하는 것처럼 들려 하루일과가 조심스러워 진다.

사실은 까마귀가 우리나라와 중국에서만 흉조로 전해내려 왔을 뿐, 많은 나라에서는 길조로 사랑받고 있으며 우리에게 호감으로 다가오던 까치가 서양에서는 오히려 흉조로 배척을 받고있다한다.

우리나라에서도 요즘은 문명의 발달로 인해 까치가 흉조로 전락하고 있다.
특히 대도시에서는 까치들 때문에 자주 발생하는 정전사고의 피해로 인해 길조라는 개념이 사라져 버린지 오래다.

반면 까마귀는 주로 공기좋은 산속에 살며 효성도 극진한 조류로 알려져있다.
아기새는 어미새가 물어다준 먹이를 먹고 자라난후 어미새가 늙어 먹이사냥이 곤란할때 쯤엔 어김없이 효심을 발휘해 어미새에게 먹이를 물어다 준다는 것이다.

그래 까마귀를 반포조(反哺鳥)라고도 하며, 반포지효(反哺之孝)란 사자성어마저 생겨나게 된것이다.
이점은 오늘날 처럼 효사상이 점차 희박해져가는 시대에 살고 있는 우리세대들이 배워야할 참 교훈일 것이다.

길조라는 이론적 배경에도 불구하고 아직도 '까치가 울면 기쁜 소식이 있을것 같고, 까마귀가 울어대면 초상이라도 날것같은 불길한 느낌' 의 선입견은 마음속에서 지워지지가 않는다.
오늘 아침 까마귀 울음소릴듣고 긴장하게 된것도 바로 이런 연유때문이다.

어제 오후 교육이 있어 자리를 비운탓에 출근하자마자 의례적으로 과장에게 별일 없었는지 물었을 때 과장의 입가에선 생각치 않게 경미한 사건소식이 튀어나왔다.

엊저녁 11시경 한주민으로부터 관리사무소 앞동의 로비폰이 파손되었다는 신고가 있었다는것이다.
직원들과 함께 현장을 둘러보았다.
로비폰을 누가 주먹으로 쳤는지 작동은 되고 있었으나 표면이 파손되어 미관상 안좋아 보이고 사용에도 불편이 따랐다.

우선 경비실로 이동해 CCTV 카메라를 돌려 보았다.
엊저녁부터 소급해 4일분을 검열해보았지만 흔적이 안보였다.
점심식사후 직원1명을 배치해 계속 추적케한 결과 단서가 나왔다.
약간 나이가 듬직해 보이는 분이 5일전 저녁 9시반경 주먹으로 치는 광경이 포착된것이다.

의심가는분을 압축해 60여세 되는 한분을 관리실로 모셨다.

카메라에 등장한 인상착의가 60세는 넘은것으로 판단된 때문이었다.

그러나 그분은 아니었다.

그분도 교회에 새벽기도 나가면서 발견했다고한다.

다른 한분은 40대 중반이었지만 혹시나 하고 과장에게 전화통화를 해보도록 했다.

예상외로 행위자는 바로 통화중이던 40대중반 임이 밝혀졌다.

나이에 비해 얼굴이 좀 늙어 보였던 것이다.

그런데 행위자는 자신의 행위임을 시인하면서도 책임을 회피하며 맘대로 하라는 식으로 전화를 일방적으로 끊어버렸다.

이럴 땐 난감하다.

'주민을 사직당국에 고발이라도 해야할 것인가? 아니면 관리비로 고치고 적당히 넘어가야 할것인가? '

걱정을 안고 퇴근하는 길에 오래된 직원이 입을열었다.

"전에도 유사한 사건이 있었는데 관리비로 고치고 넘어갔어요. 주민상대로 다퉈봤자 별이득이 없어요"

나는 그 직원의 말에 얼른 수긍을 하지도 못했지만, 그렇다고 어찌해야 하겠다고 뚜렷한 결정도 못한채 하루를 넘겨버렸다.

아침에 까마귀가 울어댄 것이 결국 길조는 아니었던 것이다.

까마귀 울음소리(속편)

얼마전 902동 출입구에 설치된 로비폰을 취중에 파손한 주민과 연락이되었다.

그는 자신의 행위임을 시인하고도 죄의식이라곤 전혀 없는 사람이었다.
통화중 마음대로 하라며 일방적으로 끊어버리기 까지 했었다.

통화재개를 시도했지만 연결이 안됐다.
이럴땐 참으로 난감하다.

〈 오래된 직원 말처럼 그냥 관리비로 고칠까? 〉

그런 생각도 해 봤지만 그럴 경우 행위자는 더더욱 기고만장 할 것이며 차후 비슷한 일이 생기면 선례가 돼버릴 소지가 된다.

나는 단호하게 대처하기로 했다.
말로는 안되겠다는 생각이 들었다.

'파손된 로비폰을 즉시 원상복구 하라. 불응시 법적조치 한다' 는 내용의 문서를 행위자의 우편함에 투입했다.

문서내용대로 행위자가 따르면 다행이나 불응한다면 정말 주민을 고발해야 할까? 내심 걱정도 되었다.

그리고 며칠이 지났다.
행위자에게서는 아무런 연락도 없었다.

그러는 사이 일부 주민으로 부터 로비폰 사용이 불편하니 빨리 고치라는 민원도 있었다.

수리업자에게 수리비 견적을 받아 보았다. 9만 8천원이 나왔다.
수리비 견적서를 행위자의 우편함에 다시 넣고 원상복구를 촉구했다.

섣불리 접근하면 행위자의 간(肝)만 키워놓게 될지 모른다.
행위자는 새터민(북한 이탈주민)이다.

우리단지엔 새터민이 꽤나 많다.
그들중 대부분은 고분고분 하지만 성격이거칠고 포악한 분도 상당수 있다.

적당히 넘어가면 이들로 인해 마을의 분위기가 흐려질수 있다.
이때문에 비록 피해금액이 소액이기는 하나 강수를 두기로 마음먹었다.

원만한 해결을 위해 행위자가 거주하는 동(栋)의 담당자를 보내 1차 설득을 시도했다.

만일 이번에도 불응하면 사직당국에 고발할 계획임도 행위자에게 분명히 주지시켰다.
설득은 유효했다. 행위자가 손을 들었다.

행위자에게 일말의 양심이 있었는지,아니면 나의 강수앞에 손을 들었는지 다음날 아침 수리비 9만8천원이 관리실에 접수되었다.

파손된 로비폰은 행위자를 대위해서 관리실에서 원상복구 해놓았다.

민원이 해소되었음은 물론이요, 사소한 일로 주민과 대립 될 번 한일이 사라져 한시름 놓게 되었다.

출근길 까마귀 울음소리를 듣고 불길해 하던 선입견도 이 쯤에서 잘못된 것임을 깨달았다.
역시 까마귀는 길조다.

설득을 위해 밤 늦게까지 행위자의 집을 방문해 설득작업을 벌인 직원의 노고에 감사의 마음을 전한다.

인생의 황혼기, 그 빛과 그림자를 담다

나무야 미안쿠나

해마다 이맘때가 되면 주요거리마다 나무에 그럴싸한 장식을 해놓고 행인의 눈길을 멎게하고있다.
돈이 들어갈수록 사람들의 눈길은 더더욱 장식에서 돌아나는 빛의 물결에 매료되어 간다.

내가 근무하는 단지에도 연례 행사처럼 트리를 만들어왔다.
기왕이면 멋지게 만들라고 직원들에게 말해주었는데어제 드디어 그작품이 완성되었다.

퇴근무렵 어둠속에서 불을 밝히는 순간 흐뭇함이 가슴속에서 묻나왔다.

지난해 것보다 좋아 보인다며 지나던 이들도 즐거운 표정을 지었다.

그런데 한편으론 나무에게 미안한 생각이 든다.
말못하는 나무라고 줄기마다 온통 전선으로 묶어놓고 미세하기는 하지만 거기다 전류를 흘려보내 고문까지하고 있으니 말이다.
만일 내몸에 전류를 통한채 밤새 견디라면 어떠할까?

어린이 대공원에 근무할때 봄마다 벚꽃놀이를 한다는 미명아래 벚나무마다 전깃줄을 얽어매고 안개등을 켜놓았던 일이 생각난다.

안개등을 켜면 벚꽃이 더 화사하게 보인다.
식물학자들은 즐기는것도 좋지만, 나무들이 스트레스를 엄청받는다고 했다.
그런 사정을 알면서도 해마다 반복하는것은 상업적 목적때문이다.

이곳은 상업적 목적과는 무관하다.
단지주민들과 통행인들에게 아늑함과 호감을 주기위해서일 뿐이다.

옛날 크리스마스트리는 주로 교회계통에서 실내에 설치했다.
그땐 살아 숨쉬는 식물이 아닌 조형목을 사용했다.
그것이 점점 옆그레이드 돼가며 실외의 살아숨쉬는 수목들에게 굴레가 씌워진 것이다.

외국에도 그럴까?
십오륙년전 쯤일게다.
프랑스의 파리를 방문했을때가 마침 이맘때였다.

축제분위기 이기는 했으나 트리는 거리에 보이지 않았다.
대신 대형건물에 화려한 장식물만 보였을 뿐이다.
지금은 외국도 우리나라처럼 바뀌었을지 모른다.

아무튼 이쯤에서 우리도 한번 연말 분위기를 바꿔볼만 하지않을까?
나무를 전선으로 얽어매고 전류를 흘려보내며
그들에게 엄청난 스트레스를 주면서까지 즐거움만 생각해서야……

나무야! 정말 미안하다.
너희들이야말로 인간에게 베풀줄만 아는 진실한 阿彌陀佛이다.
나 무 아 미 타 불(南無阿彌陀佛)!

대형 장비의 위력

5일간의 설 연휴가 끝나자 마자 새로운 일거리 들이 기다렸다는듯 내앞을 가로막고 나섰다.
단지내 환경정비와 꽃단장을 위해 서울시에 제출할 제안서를 완성하고나니 903동의 일부세대로 하수가 역류하는 현상이 벌어졌다.

세대에서 흘러내려온 생활하수가 오배수관로를 통과하는 지점에서 불순물과 이물질이 퇴적되어 꽉 막혀버린 것이다. 불야불 하수구 뚫는 업체 수배에 나서야만 했다.

'개똥도 약에 쓸려고 찾으면 안보인다.'더니 기다렸다는 듯이 금시 달려 올만한 업체는 없었다.

진땀을 빼고나서야 2시간후쯤 오겠다는 업체가 한 곳 나타났다. 그러나 도착한 업체 직원은 한나절 뚫는 노력만하다 원인도 찾지못하고 철수해 버렸다.

관할 구청 공무원도 다녀갔지만 아파트내의 일이라 도움이 안됐다.

자체적인 원인파악을 위해 직원들이 밤늦게까지 주변의 오배수관을 모두 점검한 결과 한 곳의 맨홀 주변이 막혀있음이 뒤늦게 확인됐다.

다행히 얼마전 906동앞 오수관 막힘을 해결한 업체 사장과 연락이 됐다. 이튿날 아침 일찍 그는 인부3명을 데리고 즉시 달려와 주었다.

연세도 많은 분들이 세대에서 몰려드는 오수관의 물을 퍼내며 뚫는기구를 총동원해 고군분투하는 모습을 지켜보던 내 마음은 천군만마라도 얻은듯 기쁨으로 가득찼었다.

그러나 그 기쁨은 오후3시경부터 시들기 시작했다. 고인물을 거의 다 퍼내 바닥이 드러난 오수관속에 들어가 뚫는기구를 투입하려 했지만 전혀 진전이 없어보였다.

지상의 나무 잔뿌리가 하수관로의 틈새로 파고들어 얽혀 있거나, 하수관의 침하로인해 깊은 퇴적층이 생겼거나 둘중 하나일 거라는 우려가 마음을 짓눌러 왔다.

잠시후 작업원들은 손을들고 나왔다.

자신들의 역량이 미치지 못하니 최신장비를 갖춘 큰업체를 부르라는 것이다.

우선 내시경을 갖춘 업체를 긴급 수배해 퇴적물의 상태를 확인하는 작업에 착수했다.

확인결과 나무뿌리와 슬러지가 엉켜 단단해진 상태로 하수구를 꽉 틀어 막은것으로 판명 되었다.

또 하루가 진전없이 흘러갔다.

셋째날이 되었다. 정오가 지나 대형장비를 갖춘 업체의 차량이 위엄을 자랑하며 단지로 들어 왔다.

대형장비의 성능은 정말 대단했다. 먼저 차량에 물을 채운후 고압호스를 막힌 하수구속으로 밀어넣었다.

호스를 빠져나온 고압수는 3명의 인부들이 몇시간을 끙끙거리며 해결하지못한 퇴적물을 단번에 '뻥'뚫어 놓았다.

장비의 위력이 이토록 대단함을 오늘에야 실감 했다.

차제에 직원들을 독려하여 단지내 스무개나 되는 맨홀을 전수조사한 결과 또 한 곳의 의심지역이 발견됐다.

작업을 마치고 떠난이들에게 특별히 사정한 끝에 밤11시가 다돼 의심부분도 시원하게 뚫려 나갔다.

업체 작업팀장의 호의가 눈물겹도록 고맙게 느껴졌다.

인생의 황혼기. 그 빛과 그림자를 담다

또한 격무에 시달리면서 3일연속 밤늦게까지 노심초사하며 현장에서 뒤치닥거리를 깔끔히 해준 직원들에게도 크게 마음빚이 생겼다.

인화가 제일이긴하나..

이제 봄기운이 완연하다. 낮에는 더위감 마저 느껴진다. 온기가 마음속을 파고 들지만 몸엔 아직도 추위에 저려진 상흔(傷痕)이 남아있다.
감기란 놈이 목소리까지 변질시켜놓고 떠날 생각을 않고 있기 때문이다.

봄 기운이 북상함에 따라 쾌적한 환경 복원을 위한 직원들의 손길도 바쁘게 움직이기 시작했다.
그들의 솔선적이고 쉬임없는 갸륵한 모습이 요며칠 내 눈앞에 지속적으로 펼쳐졌다.

아름다운 단지 환경조성을 위해 새로운 사업도 다각적으로 모색 되어나가고 있다.

이미 서울시로 부터 상당액의 꽃나무심기 예산지원 혜택도 주어졌으며, 주민들의 숙원사업이던 북카페 조성사업도 KBS와의 협업으로 차질없이 진행중이어서 많은이 들이 희망에 부풀어 있다.

봄부터 일들이 밀려드니 심신이 쉴틈이 없다.

이런 때 일수록 말과 행동을 주의 해야겠다는 생각이 든다.

간혹 공명심에 부풀어 우쭐대다간 주변에 적이 생기기 쉽상이기 때문이다.

주역의 64괘를 보면 모든 괘에 길흉화복이 다 포함되어 있으나 오직 겸(謙)괘 만은 흉과 화가 내포되어 있지 않다.

먼저 겸손하면 화를 입을 염려를 아니해도 좋음을 이 겸괘에서 읽어볼수 있는 것이다.

혹 조직관리를 하다보면 반드시 겸양지덕만으론 통솔이 어려운 경우가 많다.

일반적으로 관리자들은 힘과 권력을 빌미로 조직을 이끌어 가려는 경향이 있으며, 이때문에 불협화음이 표출되기도 한다.

일찌기 맹자가 덕으로써 사람을 설득하고 굴복시키라는 뜻을지닌 「이덕복인(以德伏人)」을 주장했던 것도 바로 이런 데서 그 연유를 찾아볼 수있을 것이다.

그러나 실천은 말처럼 쉽지않다.

내가 아무리 덕을 베풀지라도 때론 마치 살(煞)이라도 낀 것처럼 결과가 안좋을 때도 심심찮게 발생한다.

아마도 이게 팔자이고 인생사인가 보다.

「天時(천시)는 不如地利(불여지리)요。地利(지리)는 不如人和(불여인화)라」했다.

천시는 선천적으로 타고난 운명이요, 지리는 후천적인 지역환경이며 인화는 인간관계이다.

아무리 권문세가에서 태어났다 하드라도 지리적 여건이 성숙되지 못하면 그기상을 펼수 없을것이요, 지리적 여건이 충족 될지라도 주변인물이 사사건건 대립되고 갈등을 빚는다면 인간사는 고난의 연속이 될 것이다.

그러므로 집단의 화목과 단합의 제일 덕목은 역시 인화임을 알겠다.

'인화를 깨는 요인' 은 바로 승기를 잡은자의 오만한 독선과 아집, 패색이 짙은자의 발목잡기와 질투심 때문이다.

요즘의 여야 정치권에서 벌어지는 양상을 보면 인화란 찾아보기 힘들고 오직 권모술수와 이전투구적 행태만이 눈에들어온다.

이런 잘못된 사고는 예나 지금이나 사람이 모인 곳이면 어느 곳을 막론하고 어김없이 등장해 왔다.

그러므로 이런 폐단이 사라지길 기대하는 건, 마치 태양이 서쪽에서 떠오르기를 기대하는 거와 마찬가지란 생각이 든다.

그러나 옳은 일이라면 썩어빠진 낡은 사고는 짓밟고라도 나가야할 것이다.
설득도 필요하지만 무작정은 아닌 것같다. 물론 가능하면 설득해서 이해를 시켜야 하겠지만 말이다.

비록 작은 조직의 리더이지만 나 또한 인화를 중시하되 공연한 트집을 잡으려는 무리가 눈앞에 나타나면 단호하게 나가고 있다.
이제 내 나이가 마음이 하고자 하는 바를 따라 행동해도 법규에 어긋나지 않는 '從心所欲不踰距'에 올라와 있으니 ...

長壽寫眞

우리 아파트는 건립된지 24년이 다되어 간다.
60대에 입주한 분이라면 이미 80을 훨씬 넘겼고, 40대에 입주
한 분도 환갑이 넘었다.

65세가 되면 경로 우대를 받는 나이지만, 경로당에선 이정도
나이로는 어린애 취급만 당한다. 평균수명이 늘어난 탓이다.
적어도 70은 넘어야 경로당 문턱을 눈치 안보고 드나들 수 있다.

어느덧 나도 주위 눈치 안보고 경로당 드나들 연륜에 도달하고
말았다.
그러나 아직 한번도 경로당에서의 생활을 연상해 본 적이 없다.

인생의 황혼기, 그 빛과 그림자를 담다

아직은 활동분야가 있는데다 자립할 수 있는 경제력도 있기 때문일것이다.

나이가 더 든다 해도 웬만하면 경로당은 가고 싶지 않다.
우리 단지는 관리사무소 맞은편에 경로당이 있어 노인들의 일상생활을 자주 엿볼수 있다.

몇분은 화투장을 들고 소일하며, 몇분은 잡담으로 소일하고, 또 몇분은 쇼파에 우두커니 앉아 하루를 덧없이 보낸다.

한 때는 저마다 산업현장에서 온갖 고생 다겪으며 자녀들 키우느라 고생했건만, 늙어 경로당이나 맴도는 처지가 되었으니 당사자인들 오죽이나 답답 하실까?

어제는 sh공사 주관으로 노인들에게 장수사진을 찍어주는 행사가 있었다. 그들 틈에 나도 한장 찍었다.
내가 의사를 밝히자 담당직원이 찍지말라고 만류했다.
그의 부친은 평소 아무런 지병도 없으셨는데 장수사진 찍고나서 6개월만에 돌아가셨다는것이다.

그의 말을 들으니 등골이 오싹하고 기분이 안 좋았다. 그렇지만 기왕 맘먹은 대로 몸을 맡겼다.

10분도 안돼 사진이 액자에 넣어져 내 앞에 놓여졌다.

평상시 내 인상 일테니 인자하게 웃음짓는 상을 기대한 자체가 잘못이긴 하지만, 영 맘에 안든다.

영락없는 영정사진이다. 기분이 묘하고 우울하다.
그래 집에 들어가다 울적한 마음에 한잔 걸쳤다.

아아~ ,
내 인생도 이제 종착역이 얼마 안남았구나!

천만년 살 줄알고 욕심부리며 살았는데 이제와 생각하니 역시 인생은 하찮은 미물에 불과함을 깨달았다.

生年不滿百인데 常懷千年憂라
(생년불만백.상회천년우)
수명은 잘해야 백년인데
항상 천년근심 안고 산다네

나또한 지금껏 이리 살아왔네.

개꿈을 꾸고나서

무더위가 한계를 느꼈음인지 그런대로 지낼만한 날씨이다.
엊저녁엔 내자와 피서겸 인근 영화관으로 향했다.

요즘 인기있다는 덕혜옹주와 인천상륙작전 그리고 부산행이 상
영중이다.
무더위를 빙자해 이미 두편은 관람한 터라 부산행을 보기로했다.

「아뿔사! 잘못 왔구나!」

이 영화는 나이든 사람에겐 걸맞지 않는 내용들이다.
처음부터 끝까지 치고 받고 흉물스런 모습들이라 관람도중 시
종일관 눈살을 찌푸려야 했다.

아내는 흉측한 모습이 꿈에 보일까 무섭다며 내 어깨에 얼굴을 종종 파묻었다. 집에 와서도 영 기분이 개운치 못했다.

이튿날인 오늘 새벽 사무실과 연관된 찜찜한 꿈을 꿨다.
눈을 비비고 시계를 보니 5시반이다.

「연휴기간중 혹시 무슨일이 있나보다.」

당직자에게 전화를 넣었다.
그러나 전화기에선 「상대방의 전화기가 꺼져있습니다. 다음에 다시 걸어 주시기바랍니다」 하는 메시지만 흘러나왔다.
몇번을 걸어도 똑같은 상황이다. 갑자기 긴장감이 왔다.
이번엔 경비반장을 호출했다. 역시 무응답이다.
2초소 근무자에게 연결해 보아도 똑같은 상황이다.

최후의 수단으로 교대근무를 마치고 들어간 인근에 사는 경비 반장에게 현장을 가 보도록 부탁하고 나도 차를 몰고 출발했다.

운전하면서 갖가지 공상이 떠올랐다. 혹시 화재가 난건 아닐까?
아니면 엘리베이터 사고? 아니면 자살소동?
가슴은 계속 콩당콩당 해왔다.

중간쯤에 당직자에게서 연락이왔다. 경비반장의 전화도 이어졌다.
교대하고 들어갔던 경비반장의 인터폰을 받고야 알았다며 둘 다 죄송하단 말을 연발했다.

순간 내 입에선 나도 모르게 심한 육두문자가 튀어나갔다.
도착 하는대로 시말서를 받을 생각을 하며 화를 억눌렀다.

단지에 접어드니 2초소 근무자가 평온한 상태에서 재활용품 분리수거를 하고있는모습이 눈에 들어왔다.
그에게도 전화 안받은 것만 나무라고 사무실로 향했다.

'당직자가 겁먹은 모습으로 어쩔줄 몰라했다.'

엊저녁에 충전을 시키고 누웠는데 아침에 보니 어찌된 영문인지 충전도 안되고 핸드폰도 꺼져 있더라는 변명이다.

경비반장도 고개를 축 늘어뜨리고 출근하자마자 핸드폰을 충전기에 꽂아놓고 화분에 물 좀주느라 전화를 못받았다 한다.

다행히 아무일 없었고 얘기를 들고보니 수긍되는면도 있어 커피 한 잔씩 하며 주의를 주는 선에서 마무리했다.

연휴에 고생하는 직원들에게 위로의 말은 못 할 망정 꾸짖음으로 일관한 것이 마음에 걸린다.
차를 돌려 나오는 도중 안도의 한숨이 길게 새어 나왔다.

엊저녁 영화를 볼때 흉물스런 모습이 오늘새벽 악몽으로 연결된 듯하다.
집이 가까와지니 좀전의 행동거지에 웃음이 절로 나온다.

하하하.
오늘은 개꿈을 꾸고 아침부터 똥개마냥 정신이 나가 헛바퀴만 돌고 말았다.
덕분에 단지 순찰도 했지만...

그런데 이 개꿈이 저녁나절 참꿈으로바뀌어 버렸다.

"지하 주차장에서 연기가 난다는 신고가 있어 내려가보니 주민 한분이 차안에 번개탄을 피워놓고 자살을 기도하고있어 가족에게 연락후 병원으로 긴급 이송했습니다." 라는 당직기사의 전화가 오후6시경 있었기 때문이다.
다행히 생명에 지장은 없다해서 또 한번안도의 숨을 쉴수 있었다.

週給 6만원짜리 家長

미국의 자녀집에 다녀오는 노인들의 표정을 보면 아들집에 다녀오는지, 딸의집에 다녀오는지 금새 알 수있다는 신문기사를 30년전 쯤 읽은 기억이 난다.

김포공항에 내리는 노부부의 기색이 밝으면 딸 집에 다녀오는 길이요, 기색이 어두우면 아들집에 다녀오는 길이라고 기자는 단언했다.

이미 30년전에 미국에 사는 젊은이들은 가사의 대부분을 남편이 전담 하다시피 했단다.

딸집을 방문한 노부부는 사위가 주방일을 하며,딸에게는 손끝 하나 움직이지 않을 만큼 편하게 해주니 '우리 사위 최고' 란 생각을 했을테고,
아들집에 방문한 노부부는 며느리가 손하나 까딱 않는데, 아들 녀석이 주방에서 음식만들고 설겆이 하는 꼴을 보고 심기가 뒤틀렸을 게다.

요즘은 우리나라 젊은이들도 30여년전 미국생활을 닮아가고 있어 좋은 조짐이라는 생각이 든다.

헌데 오늘 아들 또래된 직장의 한 젊은이가 푸념하는 소릴 듣고 보니 요즘 젊은 가장들의 빠듯한 생활모습이 좀 안쓰럽게 느껴진다.

그는 용돈으로 매주 6만원을 아내한테 타서 쓴단다. 주5일 근무니 하루1만2천원 꼴이다.
점심값과 담배값 교통비외엔 옴짝달싹 못하는 금액으로 먹여주고 재워주는 아내로 부터 일당 1만2천원을 받는셈이다.

그렇다면 일당에 관한한, 시급 6천원 받는 아르바이트만도 못하지 않은가?
물론 자식키우는 재미와 사랑스런 아내가 있어 사는 재미는 남다르겠지만 말이다.

그는 다음달 지급하는 연차수당을 계좌이체 하지말고 현금으로 주었으면 좋겠다고 했다.
아내가 눈치채지 못하도록 비자금을 마련하려는 의도가 다분하다.

회계원칙상 불가함을 말해주었지만, 가족사랑 못지않게 가정밖에서의 피치못할 지출을 감당할 방법이 없어 좌불안식하는 모습에 동정이 간다.

이런 상황이라면 결혼하지 않고 적당한 아르바이트로 유유자적 하며 자기만의 인생을 즐기는 방법이 현명할지도 모른다.

그래그런지 결혼을 포기하고 사는 젊은이들이 주변에 넘쳐나고 있다.

이대로 간다면 앞으로 100년후 이땅에 사는 우리 후손들의 가정행태는 어떤모습으로 변해있을까?

신선한 충격

조선 초 성종조시절 최부(崔溥)와 송흠(宋欽)이란 분이 홍문관의 관원으로 있었다. 최부는 나주인이고 송흠은 영광인이다.

이들이 우연히 함께 말미를 받아 시골에 내려가게 되었다.
두사람의 시골집은 거리가 15리쯤 떨어져 있었다.

하루는 송흠이 최부의 집을 방문했다.
두사람이 말하는사이 선임이며 5살 위인 최부가 "그대는 지금 무슨 말을 타고 왔는가?" 하고 물으니 "역 말(驛馬)입니다." 하고 송흠이 대답했다.

인생의 황혼기, 그 빛과 그림자를 담다

"나라에서 준 것은 그대의 집까지만 타고 가라는 것이요, 그대의 집부터 우리집까지는 사사로운 걸음인 데 어찌 역말(驛馬)을 탄단 말인가?"

조정으로 돌아간 최부는 이러한 뜻을 아뢰어 송흠을 파면시켰다. 송흠이 최부에게 찾아와 하직인사를 하자 "자네는 젊은사람이니 이 다음부터는 조심 하여야한다." 하고 타일렀다.
해동소학(海東小學)에 나오는 대목이다.

어찌보면 선후배간 지나치리 만큼 살벌하게 느껴질 수도 있다. 그러나 그후 송흠은 젊은시절 과오를 딛고 중종조에 청백리로 녹선(祿選)되었으니, 실로 선후배간의 아름다운 우정의 발로라 아니할수 없다.

이에 비한다면 요즘의 정치권과 법조계에서 벌어지는 뇌물사건의 전말은 정말이지 같은 하늘을 이고 사는 소시민으로서 부끄러움을 금할 길이 없다.

이달 28일부터 김영란 법이 발효되면 여기 저기서 추태가 더더욱 심각하게 벌어질 것으로 생각된다.

9월 초하루를 맞아 우리단지는 자의반 타의반으로 종사원중 서너분의 얼굴이 교체되었다.

새로운 분위기 조성을 위해 이 날자로 미화원들의 청소구역을 일부 조정해 시달했다.

순찰중 상냥하게 생긴 미화원 한분이 미소를 띄며 내 앞으로 다가오며 말을 걸었다.

"소장님, 청소구역 변경을 추석뒤로 미루면 안 될까요?"
"왜요? 무슨 피치못할 일이라도..."

내가 의아해서 반문하자 그녀의 입에서는 "지금 근무지 바꾸면 추석선물 못 받잖아요?" 하고 순진한 어린아이가 응석을 부리듯 몸을 비트는 시늉을 했다.

미화원이 돼 보진 않았지만, 단지내 동별소속 미화원에게는 정 있는 일부 주민들이 명절에 사소한 선물을 주는 듯 했다.

근무지가 바뀌면 선물꾸러미를 그리던 그 작은 소망마져 사라질게 뻔하다.

[아차! 내가 왜 그런 생각을 못했던가?]

미화원의 가식없는 순진함이 가슴에 묻어왔다. 웬만하면 그런 일이 밝혀질까 봐 숨기는게 세태인데 당당하게 말할 수 있는 자신감, 그녀의 말에서 정말 신선한 충격을 느꼈다.

인생의 황혼기, 그 빛과 그림자를 담다

미화원에게 전달하는 선물은 사소하겠지만, 그녀들을 동정하는 주민의 진솔한 뜻이 담긴 값진 선물이다.

이를 숨길이유는 어디에도 없는 것이다.
나는 그녀의 건의에 고개를 끄덕여 주었다.

우리의 정치권과 법조계 그리고 모든 사회계층에서 미화원사회와 같은 훈풍이 불어온다면 우리나라가 얼마나 살기좋아질까?

이럴 때에야 우리나라도 비로소 문화적 선진화가 이루어졌다고 자부할수 있을 것이다.
미화원의 신선한 말이 아직도 뇌리에서 떠나지 않는다.

어찌 이럴수가

어느 새 추석이 사흘 앞으로 다가왔다.
설빔을 장만해야하는 주부들은 추석을 앞두고 채소값과 과일값이 폭등해 울상이다.
추석이 임박하면서 꼬리를 물고 이어지던 벌초행렬도 서서히 시야에서 사라져갔다.

오늘과 내일만 지나면 5일간의 긴 연휴속에 묻히게 되지만, 연휴가 긴 것도 시설물을 관리하는 입장에 서면 크게 달가운 일도 아니다.
연휴기간중 예기치 못한 사건사고들이 심심찮게 벌어지기 때문이다.

엊저녁엔 꿈이 불길했다.

무슨일이라도 생기지 않을까 노심초사 하며 오전을 보냈다.

그런데 점심식사를 하고 들어오니 사고보고가 날아들었다.

누가 신고 했는지 이미 경찰차도 와 있었다.

경비실옆 주차장에 세워둔 차량2대의 앞면 유리가 아파트 복도에서 던진 조약돌을 맞고 보기 흉하게 파열된 것이다.

보름전쯤 야간에도 동일장소에서 똑같은 상황이 벌어졌었는데 이번엔 대낮에 이런 끔찍한 사고가 일어났다.

만약 차량이 아닌 사람에게 돌이 맞았다면 중상을 입고 병원에 입원했을 것이다.

혹 정신박약자나 어린아이의 소행이 아닐까 의심도 해 보지만 아무런 단서가 없다.

경찰관 2명과 15층 꼭대기부터 1층까지 복도를 더듬어 내려가던중 12층 복도의 화분에 피해차량을 내리친 것과 유사한 조약돌이 눈에 들어왔다. 그집 벨을 눌러 보았지만 부재중이다.

그집은 아닌닌 것같다. 그집은 행위 당시부터 비워 있었기 때문이다.

피해차량의 소유주를 수소문 끝에 연락이 닿았다.
차주들도 망연자실 했다.

범인을 잡기위해서는 피해자가 직접 고소를 해야 한단다.
피해자들이 경찰관서에 직접 피해신고를 마쳤다.

cctv에도 노출이 안되어 안타까움이 있지만 범인이 사용한 조약돌의 보관장소를 발견한 이상 포위망은 상당히 좁혀졌다.
돌이 차위에 그대로 남아있으니 지문감식을 해보면 범인이 누군가 밝혀 지리라본다.

도대체 범인은 어떤사람일까? 염려한대로 정신박약자일까? 어린아이일까? 아니면...
분노에 앞서 허탈감이 온다. 어찌 이런행동을 할수 있단말인가?

추석 연휴에는 더이상의 안전사고가 없길 마음속으로 빌어본다.

인생의 황혼기, 그 빛과 그림자를 담다

아차! 할 뻔한 사고

내가 관리하는 아파트는 서울주택도시공사가 집없는 서민들을 위해 공급하는 임대아파트 단지이다.

서울에는 우리단지와 비슷한 임대단지가 꽤나 많다.

이들 임대아파트는 민간업체에서 분양한 아파트에 비해 규모가 매우 협소하다.

대체로14평형이 가장 많으며 11평형 정도의 영세 아파트도 꽤나 된다.

그중 내가 관리하는 곳은 비교적 규모가 큰 15평부터 20평까지로 구성되어 있다.

주민들은 청약저축을 이용해 입주하신 분들도 많지만, 철거세대나 장애인 같은 경제적 약자도 상당수 포함되어 있다.
최초 입주후 25년이란 세월이 흘러 갔으므로 주민들의 반 이상은 이미 65세 이상의 어르신이 되었다.

그 뿐 아니다.
빈집이 생기면 수시로 넘어오는 북한 이탈주민에게 일정량을 배려해 주고 있다.
그러다 보니 이들 세대도 이미100여 가구를 넘어 섰다.

북한 이탈주민들은 정착하는데 상당한 어려움을 겪고 있다.
초기 몇 년간은 자립 할때까지 경제적 지원도 이루어지지만 새로운 환경으로의 적응이 쉽지 않다.

관리사무소에는 이들의 민원도 심심찮게 들어온다.
공산치하와 달리 민주사회에서는 스스로 지켜야할 규범이 너무나 많다.
명령대로만 살아오던 이들에게 공동생활의 많은 규범들은 오히려 불편스럽게 느껴지는 듯 하다.

그들은 남한사회에서 많은 갈등을 안고 살아간다.
"내 집인데 왜 내 맘대로 못하는가?"

이들은 이런 불평을 항상 분출하며 관리사무소에 자주 항의한다.

며칠 전에는 황당한 사건이 생겼다.
단지내 어느 한동의 7층에서 연기가 난다는 주민신고가 있었고 동시에 소방벨도 울리기 시작했다.
직원들이 놀라 뛰어 올라갔으나 번호키를 달아놓은 집에서는 인기척이 없었다.
등록된 전화로 연락해도 연결이 안된다.

우선 119로 소방서에 화재 신고부터 했다.
순식간에 소방차 3대가 들이닥쳤다.
소방대원 한분이 주방쪽 유리문을 뜯고 거실로 진입해 문을 열었다.
불은 붙지 않았지만 집안이 온통 까스로 가득차 있었다.

혹시 안에 사람이 쓰러져 있지는 않은지 불안했지만 사람이 없다는 말에 안도했다.
그런데 연기가 어느정도 배출되고 나자 안방 침대에 잠들어있는 노인이 발견되었다.
그를 흔들어 깨우자 오히려 귀찮다는듯이 화를 내며 달려들 태세였다.

듣자니 가스불 위에 찌개를 올려놓고 술이 취한 채 잠들어 버렸
던 것이다.
그 새 냄비가 홀딱 타버리고 실내는 온통 연기로 뒤범벅이 되
어 있었다.
조금 늦게 발견되었다면 연기에 질식해 죽었을 지도 모른다.

그런데도 오히려 뻔뻔스러웠다.
그에게서 죄의식은 전혀 찾아볼 수가 없었다.
소방관과 경찰관, 나와 관리실직원 모두 안도의 한숨을 쉴수 있
었다.

거주자는 60여세의 북한이탈 주민이었다.
아무리 무지해도 어찌 이렇게 무책임할수 있을까?

공동생활에서 규범을 안지키고 제 멋대로 하는일은 정말 위태
로운 일이다.
그에게 서면 경고를 하고 앞으로 절대 그런일 없도록 다짐을 받
아두긴 했으나 안심이 안된다.
비단 이집 하나만이 아니다. 오늘 같은 일이 벌써 너 댓 번은 있
었다.

다행히 일찍발견되고 인명피해도 없었다.
정말 "아차! 할 번한 사고" 였다.

진짜 생일날

가을이 깊어간다.
올해의 만추(晚秋)여행은 강화로 정해졌다.

단지 사람들과 대기한 관광차에 올랐다.
전부 32명이라 여유있게 탑승했다.
아침 8시에 출발한 덕에 가는 길은 불과 1시간 반 밖에 안 걸렸다.

석모도 가는 길에 다리가 놓여 진출입이 신속히 이루어 졌다.
해안 길도 잘 정비되어 관광코스로 손색이 없다.

자연휴양림 초입에서 일행 중 7명은 등산로를 타기 위해 하차하고 다른분들은 온천지역으로 이동한 후 보문사 주차장에서 합치기로 했다.
나는 당연히 등산 팀에 합류했다.
어제까지 포근하던 날씨가 비온 뒤 끝이라 한 겨울을 방불케 했다.

'이럴 줄 알았으면 목도리라도 하고 나오는 건데...'
한기가 몸속으로 파고 들었다.

역시 등산은 추운겨울이라도 할만하다.
오염되지 않은 낙엽 길을 밟으며 10여분 오르자 금새 한기(寒氣)가 사라졌다.
산에 오른지 1시간 반 만에 보문사 주차장에 당도했다.
차로 이동한 분들은 이미 도착해 있었다.

보문사에 들려 기도라도 올리고 싶었지만 일행이 독촉하여 매표소 입구에서 가볍게 목례를 올리는 것으로 대신하고 함께 근처 민머루 해수욕장으로 이동해 회에 술을 곁들여 배를 채웠다.
술이 내 주량에 미치지는 못했지만, 아내의 술조심하란 조언과 주민들 앞에서 실수해서는 안 된다는 경계심이 발동하여 가능한 한 절주를 했다.

그래도 병 반은 마신 듯하다.

올 때는 차내에서 다시 술판이 벌어지고 춤과 노래가 어우러졌다.
주민들 노래 솜씨가 모두 보통이 아니다.
직장에 억매인 나와는 대조적이다.

오늘이 양력으로는 내 생일이다.
빼빼로 데이요, 농민의 날이며 1977년 오늘엔 이리역 폭발사고가 있었다.
그때 화약의 수송을 맡았던 신모씨는 바로 내 외사촌 형님의 처남 되는 분이다.

여기저기서 생일축하 한다는 메시지로 휴대폰이 심심찮게 진동음을 알려왔다.
어쨌던 진짜 생일날 잘먹고 잘 보냈다.

철 없는 소년

그제 일이다. 오후 3시쯤 할머니 한분이 손자를 데리고 사무실로 들어섰다.
남아를 보니 꽤 낯이 익었다.
"학생! 지난번 그 라이타 불 학생맞지!"
소년을 보니 한 달전에 그의 아버지와 함께 내 방에서 반성문을 쓰던 모습이 생생히 떠오른다.

"네."
소년이 수긍하며 고개를 떨구었다.
이제 초등학교 6학년인데 덩치가 고등학생 만하다.
함께 온 할머니는 80줄은 된 듯하다.

지난 달엔 승강기 안의 게시물을 라이타불로 태우는 무모한 짓을 했었다.
그때 cctv를 검색해 잡은 범인이 바로 지금 눈앞에 나타난 학생이다
그날 그의 부친이 소년을 데리고 나에게 찾아와 백배 사죄한 후 불에 그스린 광고판을 교체해 놓았었다.

이 번에 나타난 건 또 다른 사고 때문이다.
엊그제 어린이 놀이터에서 친구들과 그네를 타며 안장을 이리저리 던지고 장난치다가 안장을 파손시킨 것이다.

cctv를 검색해보니 주동자는 역시 그 때 그 소년이다.
영상화면이 선명한데도 잡아 떼기까지 한다.
사고친 것보다 더 나쁜 것이 반성할 줄 모르는 소년의 태도이다.
수리비 8만여원은 부모에게 부담시켰지만 반성 없는 소년의 품행때문에 또 다른 사고를 저지르지 않을까 저으기 걱정된다.

'이런자식 보다듬는 부모의 마음은 어떠할까?'
힘없이 손자를 데리고 말 없이 돌아서 나가시는 할머니 모습이 애처로워 보인다.
밖엔 봄 날씨 답지않게 강풍이 몰아치고 있었다.

짜릿한 쾌감

어제에 이어 오늘도 과장의 전화가 있었다. 905동 앞 막힌 오수(汚水)관로는 집수정 모터의 노후화로 더 이상 이대로 방치해 둘수가 없다는 것이다.

과장과 분담해 서로 빨리 올수 있는 업체의 섭외에 나섰다. 마침 나와 연락이 닿은 업체의 사장님이 휴일인데도 한 시간내에 현장으로 와 주겠단 약속을 해주셨다.

나도 작업하기 편한 옷을 주섬주섬 갖춰입고즉시 관리실로 향했다. 업체 사장님도 작업원과 장비를 동원해 30여분후 현장에 도착했다.

과장은 용인 처가에 가 있지만 나오겠다 하는걸 편히 쉬도록 했다.
어제도 출근해 역류하는 오수를 우수(雨水)관으로 퍼 옮기느라 고생한걸 알고 있기 때문이다.

당직계장의 안내를 받아 오수가 역류(逆流)한다는905동 앞의 맨홀을 우선 열어보았다.
오수가 넘치기 직전이고 악취도 심했다.

오수가 통과하는 관로를 따라 906동옆의 맨홀도 열어 봤지만 상태는 마찬가지였다.
오수의 흐름길을 따라 다시 906동 앞의 맨홀을 열어보니 그곳은 다행이도 멀쩡했다.
그렇다면 906동 옆과 앞에있는 맨홀사이의 불과 오륙미터에 문제가 있음을 직감할 수 있다.
업체 사장님도 나와 생각이 일치했다.

곧 수중펌프 3대를 설치하고 오수관의 고인물을우수관으로 퍼 옮기는 작업에 착수했다.
아무리 퍼대도 물은 줄어들 기색이 안보였다.
왜냐하면 퍼내는 물의 양만큼 새로운 물이 세대에서 흘러 나왔던 것이다.

주민들의 협조를 구하기 위해 방송으로 두 차례나 호소해 보았지만, 휴일이라 대부분이 가족단위로집에서 휴식을 취하고 있어 전혀 효과가 없었다.

수중펌프는 오수관속의 이물질 흡입으로 수시 멈춰 정비 후 재투입하기를 반복해야 했다.
겨울날씨라 두툼하게 입었는데도 손이 시리고한기가 몸에 스며들었다.
수위(水位)는 줄어들줄 모르고 날은 꾸역꾸역 저물어갔다. 모두 기진맥진했다.

오수관 속에서 많은 오물이 쏟아져 나왔지만,그 것들 때문에 흐름이 막혔다는 생각은 들지 않았다.

그렇다면
'도대체 무엇때문인가?'

도대체 해답을 찾을 수 없었다.갑자기 불안한 생각만 엄습해왔다.

'오늘밤은 지새워야 할지도 모르겠다.'

나는 그럴 수 있다해도 작업원들이 나를 따라줄까?
추위도 피할겸, 민생고도 해결할겸,중화요리에 반주를 겸하며
서로 머리를짜냈다.

기발한 아이디어가 생산됐다.

'905동 맨홀 오수유입구를 틀어 막아보자는것'

아이디어대로 움직이기 시작한지 한시간여 만에 우리의 입가
엔 비로소 미소가 흘러나왔다.
수위가 점차 내려가는것이 모두의 눈에 확인됐기 때문이다.

나도 '덜덜덜' 떨리던 몸에 불이붙은 듯 가슴이 후끈하며 성취
의 자신감이 생겨났다.
그로부터 또 반 시간이 흘렀다. 바닥도 반 미터쯤 남은것으로
확인됐다.
그 때 작업원 한분이 장대로 맨홀 밑을 사정없이

'쾅쾅쾅' 두들겨 패기시작했다. 순간 어디선가 '쏴아~'하는 소리
가 들리더니 이어 '콸콸콸'하며 물빠지는 모습이 눈에 들어왔다.
갑자기 '짜릿한 쾌감'이 가슴을 파고들었다.
이런 쾌감은 처음 느껴본것이다.

꼭 몇십억짜리 복권이라도 당첨된듯 하늘을 날고싶은 마음이다.

또 다른 작업원이 맨홀속에서 넓직하게 생긴 시커면 돌덩이 두 개를 꺼내 올렸다.
자세히 보니 아스팔트 파편이었다.
몇 년 전 단지내 아스팔트 포장을 했다는데 그 때 부주의로 파편조각이 오수관 속으로스며든 듯 하다.

시계를 보니 밤8시 40분이다.
실은 오늘 5시에 온양역 부근에서 몇 몇 지인들과 송년모임을 갖기로 했었다.
송년모임은 참석 못했지만 가슴 뿌듯하다.
비록 돈 벌기 위한 일이지만 추위에, 오물속에 몸을 담궈가며 헌신한 작업원들에게 만복이 깃들길 기원한다.

그리고 한마디 불평도 없이 끝까지 뒷 마무리 해주신 당직계장과 경비반장에게 감사드리며 불편을 겪으신단지주민들에게도 송구한 마음이 앞선다.

모두들 병신년 새해엔 좋은 일만 거듭되시길.....

2장

더불어 살아가기

약사할머니

차타러 나갈적에
꼭 지나치던 길모퉁이 약국
언제나 자상한 웃음으로 반겨주시던
머리허연 약사 할머니

병원가기 귀찮아 지면
단골로 다니던 길모퉁이 약국
늘상 아픈이들 마음 어루만져 주시던
머리허연 약사 할머니

주변에 병원 하나 없어도
단골손님 끊이지 않던 길모퉁이 약국

자상한 웃음으로
아픈이들 마음 어루만저 주시던
머리허연 약사 할머니가
얼마전 부터 보이지 않는다.

연세가 구십 이라더니
병원 침대에 누우신 겐가?
소리없이 우리곁을 떠니신 겐가?
엊그제부터 가게 물건 다 빼내고
셔터도 내려져 있네.

歲歲年年 花相似요(세세년년 화상사)
해마다 피는 꽃은
전년과 모습이 서로 같건만
年年歲歲 人不同이라(연년세세 인부동)
해마다 보는
우리네 얼굴 모습은 전년과 다르네!

천 삼백년전 이백의 싯귀만이
무더위가 발악하는
오늘 하루 내내 입가를 맨돈다.

주인없이 비워둔 길모퉁이 약국
약사 할머니가 예전 모습으로
방긋 웃으며 다가오길 기대해 본다.

아내의 속 마음

스물다섯
동갑나이에 시집와서
티격태격 싸워온지 어언 반백년.

젊어선 박봉에
애키우며 살림하느라
그 잘난 외식 한 번 못해보고
살림살인 뒷전이고
책만 보던 남편을
팔자려니하고 내조하던 아내.

아들 딸
다 시집 장가 보내고 나니
흰머리에 주름살은 기본이고
하루가 다르게 아픈구석만 늘어났네.

자고새면
"아이고"를 입에 달고
뉘 자식 잘 되어 부모 용돈 듬뿍
쥐어 주었단 소리 들려오면
부러움을 감추지 못하던 아내.

아직은
자식에 기대지 않고
서방이 벌어다주는 수입에 의존하며
늘 부족함만 입에 달고 살더니
폭우가 쏟아지던 오늘 아침엔
체육관 앞에 우산들고 깜짝 나타났네.

내 평생
한번도 느껴보지 못한
야릇한 감정 솟아 났지만
둘이는 별 말 없이 일렬로 서서
집으로 향했네.

나란히 우산쓰고 걸을 줄은 몰랐어도
앞서가는 내마음과
뒤 따르는 아내의 마음은
폭우와 뒤 범벅이 되어 하나가 되었다.

시원스레 쏟아지던 빗님사이로
반백년간 숨겨졌던
아내의 속 마음이 비로소 드러났다.

빗님덕에 새삼 느꼈네
아내는 내가 있어야 행복하고
나는 아내가 있어야 행복함을.

어린이 놀이시설 안전교육장에서 만난분

단풍은 명산보다 잘 가꿔진 아파트단지가 오히려 더 아름답게 느껴질때가 많다.
지난주까지만 해도 내가 관리하는 단지에는 은행나무등 수많은 단풍이 어우러져 아름다움이 절정을 이루고 있었다.

3-4일 전부터 곱게 물들며 자태를 뽐내던 단풍잎이 하나둘 바람에 휘날리며 떨어져 내리고 있다.
잎은 나무가지에 매달려 있을때가 아름답다.

바람에 날려 떨어지는 순간 잎은 쓰레기로 변해버린다.
추풍에 우수수 떨어지는 낙엽을 바라보며 인생말년의 허무함과 함께 작금의 정치현실이 안타깝게 느껴진다.

정치권은 청와대와 여야가 제각기 이해득실을 따지고 첨예하게 대립하며 한치의 양보도 없이 치킨게임에 정신이 없다.
오늘도 성난 민심은 대통령을 규탄하는 4차 촛불시위를 위해 도심으로 몰려들게 분명하다.

촛불시위는 대통령규탄자 뿐아니라 반대의견을 지닌이들도 대거 참여하는 만큼 자칫 폭력으로 치달을 수도 있다.
양측모두 당위성이야 있겠지만 이번에도 지난주처럼 평화시위가 되기만 빌뿐이다.

어제는 서울주택도시공사에서 어린이 놀이시설 안전교육이 실시되었다.
공사 소속이거나 유관단체의 관리사무소장들이 100명가까이 참석했다.

나도 참석해 4시간이나 되는 교육을 받았다.
교관으로 나온분의 목소리가 꽤나 친숙하게 느껴졌다
이름도 내 기억속에 남아있는 분과 꼭 같다.

'혹시 30년전 함께 근무하던 분 아닐까?'

진가 민가 하며 망서리다가 교육이 끝나고 그에게 다가가 혹시 내 기억속에 남아있는 옛날 그분이 아닌가 물어보았다.

인생의 황혼기, 그 빛과 그림자를 담다

내 추측은 적중했다.

그도 내 이름을 듣자 "아니 선배님을 여기서 뵙다니... 정말 반갑습니다." 하고 나를 포용했다.

30년전 우리는 한건물에서 지낸 동료였다.

함께 과천에 살면서 사당동에서 가끔 술자리를 하곤 했었다.

천안중학교를 나왔고 나를 선배로 극진히 대접했었다.

그때 공무원이 되어 경기도청으로 전출한후 소식이 없어 궁금하게 지내던 터였다.

그런데 오늘 생각지 않게 이런자리에서 만난것이다.

참말 반가왔다. 살다보니 이런일도 있다.

언제 시간내어 술한잔 하며 회포를 나누어야 겠다.

인생이나 축생이나

광복 72 주년이라!
내 나이와 항상 같이 간다.

예년과 달리 종일 비가 죽죽 내린다.
꿉꿉하긴해도 서늘해서 좋다.
금년 여름엔 잦은 비 덕분에 에어컨을
이틀밖에 안 켰다.

내집엔 수명을 다해
오늘 낼 하며 연명하는
15년을 동거한 애완견 한마리가 있다.
아내가 시장 다녀오는데

뒷꽁무니 졸졸따라
집안까지 들어온 것이다.

주인을 찾아주려 수소문했지만
유기견인지 소식이 없어
맡아 기르기 시작한 것이다.

그게 15년 전이다
그때 두살쯤 되었다면
금년에 17살이 되는 셈이다.

어디선가 읽은 적이 있다.
'견생의 평균수명은 십 오륙년 쯤' 이라고.
그렇다면 이제 거의 떠나실 나이 이다.

나는 본시 축생을 보듬는 성격이 아니나
녀석이 똥오줌을 가릴 줄 알아
미움주지 않고 동거할 수 있었다.

영리해서 '똘똘이' 라 이름 붙여 주었다.
그 땐 애들이 함께 살 때라
제법 시끌벅적 했었다.

자식 손자 모두 곁을 떠난 지금
이놈 이라도 꼬리 흔들며
반겨주면 좋으련만,
제 몸하나 지탱하지 못하고
종일 누워지낸다.

그 뿐이랴!
눈도 멀고 치아도 없고
혀마져 입가로 삐져나왔다.

아내가 입벌리고 사료를 물려준 지가
100일이 넘었다.
종일 한쪽으로 누워 있으니
반대 쪽에 등창이 났다.

사람이나 짐승이나
늙으면 추하기 그지없다.

애처롭긴 하지만
나는 의식적으로 눈을 피해왔다.
아내는 지극정성이다.
정말 자식처럼 가슴이 아픈모습이다.

어제는 퇴근하니 아내가
"똘똘이 오늘 수술했어"
라며 붕대에 감겨있는 녀석을 가리켰다.

말 못하는 짐승이지만
통증을 억지로 참는 모습이 역력했다.

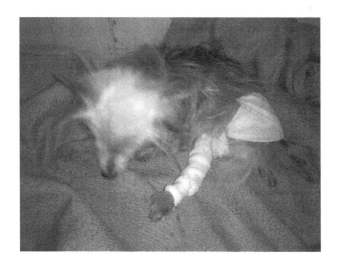

하루를 넘긴 오늘
수술자리 소독을 위해
다시 동물병원을 가야 한단다.

휴일이고 비가 오는 터라
내가 동물병원 앞 까지
운전수 노릇을 해주었다.

치료중 수면제를 투약했는지
계속 잠만자고 있다.
앞으로 얼마나 더 살날이 있을지.

남은 기간이나마
나도 녀석에게
맘을 기우려 봐야겠다.

효도하기. 효도받기

어버이날이 지난지도 이미 한달이 넘어섰다.
아내와 차를 몰고가며 대화도중 새로운 사실을 알게되었다.
지난 어버이날 아들내외가 아내통장에 얼마간을 입금시켰는데
나에겐 비밀로 했단다.
내가 안다한들 그돈을 채뜨릴상황도 아닌데말이다.

나는 지금껏 아들내외가 빈손들고 다녀간줄로만 알고있었다.
"손자새끼를 둘이나 키우느라 그만한 여력도 없겠지"
그렇게 위안삼으며 주머니돈 달달털어 손자들에게 쥐어주던 나
였다.

아내의 말을 듣고나니 좀 서글퍼졌다.
아내는 말끝마다 내가 보는앞에서 애들에게
"아빠는 돈벌고 있으니까 용돈 줄 필요없다"며 성화를 해댔다.

아내와 함께있는자리에서 애들이 내몫을 내놓으면 영락없이 채뜨려갔다.
대체로 둘째가 아내와 함께있는 자리에서 용돈을 내놓다가 아내손에 몽땅 들어가게한다.

아들녀석은 다르다.
"아빠는 돈버니까 안줘도 되지?"
아내의 말을 곧이곧대로 받아 내게 그대로 행동한다.

아들녀석이 내 나이쯤 되어 똑같은 상황에 처한다면 기분이 어떠할까?
하찮게 던져진 말이지만 내맘 한구석은 유쾌하지 않다.

'비록 내가 돈을 벌고 있다해도 말을 그리해서야! '

맏이의 행동은 다소 예외다.
항상 계좌 이체방식을 쓴다.
그러니 아내도 채뜨릴 방법이 없다.

자식이 셋이라도 생각과 행동은 이렇게 차이난다.
세상 살아가는 방식도 분명 차별화되어 있을게다.
둘째는 진솔해 보이고 막내는 좀 뻔뻔해 보인다.
그리고 맏이는 공정해 보인다.

우리 사회에서 성공하는 사람들은 어느부류일까?
진솔한 사람일까?
뻔뻔한 사람일까?
공정한 사람일까?

공정한 사람은 부자로 살기 어렵고
진솔한 사람은 가난하지 않을수가 없겠지.

도둑맞으려면 개도 안 짖는다

어제 10여년 전 함께 근무하던 지인이 사무실로 찾아왔다.
인천에 있는 상가를 임대해 생활하고 있는데 몇 달전부터 임대
료를 미납해 임차인을 교체해야 겠단다.

나를 찾은건 세입자 퇴출을 위한 자문을 구하기 위함이다.
그는 얘기중 자문내용과는 상관없는 푸념을 늘어 놓는다.
조금전 경찰서를 다녀왔다면서...

세입자를 내 보내려면 임대보증금을 반환 해야한다.
그 돈이 좀 부족했던 게다.
그가 해결책으로 진행한 과정을 늘어놨다.

인터넷에서 '햇살 저축은행 저리대출'이란 광고가 눈에 들어와 곧 전화를 했다.

친절한 여사무원이 인적사항을 묻고 '공증'이 필요하다며 20만 원 계좌이체 요청한다.
의심없이 요구액을 송금한다.
조금후 신용보증에 필요하다며 190만원을 요구한다.
의심않고 다시 송금한다.
한참후 보증에 문제가 생겼다며 200만원을 더요구한다.
의심없이 또 송금한다.

여기까지가 눈깜짝할 사이 당한 보이스 피싱이다.
금방 대출해 준다던 돈이 안 들어오니 초조해서 경찰서를 방문한 것이다.
결과는 뻔하다.
수사해도 범인검거가 어려운가 보다.

"도둑 맞으려면 개도 안 짖는다." 했다.
빈틈없는 분도 다급해지고 평상심을 잃으니 이런 실수를 저지른다.
'보이스피싱' 언제 누구에게 파고들지 모른다.
조심 또 조심 해야겠다.

오늘 남북회담이 열린다.

다분히 북쪽의 지난행적이 의심스럽긴 해도 이번 만은 보이스 피싱에 속아넘는 개인처럼 속이고 속는 회담이 아닌 진정성이 담기길 기대해 본다.

인생의 황혼기, 그 빛과 그림자를 담다

미심적은 구걸행위

며칠전 업무를 마치고 전철을 타러 개봉역으로 향하던 중이었다.
깔끔하게 생긴 30대 초반 쯤으로 보이는 어느 여인이 내 앞으로 다가왔다.
가던 길을 멈춰선 내 앞에서 그녀가 입을 열었다.

"저어~, 아저씨. 제가 지방을 내려가야 하는데 돈이 없어서...."

그녀의 말이 채 끝나기도 전에 "나도 마침 가진게 없는데..."
하며 발걸음을 돌렸지만 왠지 뒷맛이 씁쓸하다.
이런 일을 당한게 처음은 아니다.
행여라도 행색이 초라했다면 혹 마음이 동했을 지도 모르겠다.

반반한 얼굴에 부끄러움 이라곤 전혀 찾아볼 수 없던 그 형상에 동정심 따위를 내려놓을 만큼 내맘은 그리 넓지 못했다.

몇 년 전 일이다.
그 때도 똑같은 일을 경험했다.
경기고등학교로 통하는 지하철 에스커레이터를 오를 때였다.
아래 쪽에서 간난아이를 들쳐업은 아낙이 손을 내미는 걸 무심히 지나치다가, 안돼보여 다시 내려가 3천원 인가를 쥐어준 적이 있었다.
아주머니는 인천에 사는데 차비가 없어 못 간다며 안절부절 했었다.

그런데 1주일 후 바로 그 자리에서 똑같은 행위를 연출하고 있는 아주머니를 발견하고야 잠시나마 측은지심을 발휘 했던 게 쓸모 없음을 자각하게 되었던 것이다. 이들의 행위는 지하철에서 껌팔이를 하거나 구걸행위를 하는 부류와 장소만 다를 뿐 크게 다를게 없다.

개봉역 근처에서 만난 여인은 그렇지 않을 지도 모르겠다.
그렇지만 두 부류가 유사하다는 생각이 맘속에서 지워지질 않는다.

인생의 황혼기, 그 빛과 그림자를 담다

'내가 그 지경에 이르렀다면 어땠을까?'

하고 생각도 해 봤지만 나에게는 감히 모르는 사람에게 이유없이 손을 내밀 용기는 없어 보인다.

67년 말 서울시 공무원이 되어 고향에 다녀 올 때의 일이 생각난다.

서울역에 도착해 기차에서 내렸을 때, 수중에는 단돈10원 밖에 없었다.

배에서는 쪼르륵 소리를 계속 내며 허기감을 알려왔다.

10원으로 요기를 하고나면 차비가 동난다.

종암동 집까지 버스를 타고 가면서 허기를 참아보려 했지만 눈이 쑥들어가 도저히 그럴 수가 없었다.

그래 결단을 내렸다.

10원으로 빵 두개를 사서 우선 배를 채운 후 종암동까지 무작정 걷기로 했다.

걸어도 걸어도 집까지의 거리는 좀처럼 좁혀지는 기색이 없었다.

기진맥진하며 거의 4시간이 지난 후에야 집에 도착할수 있었다.

구두를 신었던 발에서는 이미 물집도 생겨났다.

그날은 고향에 계신 연로한 당숙의 생신 날 이었다. 나에게 부모처럼 잘 해주신 분이다.

학창시절에 다니러 갈땐 꼬박 노자돈을 손에 쥐어 주시곤 했었다.

그런 감상에 취해 500원 이나 되는 주머니의 돈을 모두 털어 생일선물 사는데 소진해 버렸던 것이다.

그런데 나의 천진했던 기대가 빗나간 것이다.

이미 고등학생이 아닌 성인이요, 공무원 신분인 나에게 노자돈을 챙겨주는 이는 아무도 없었다.

'노자돈을 주겠거니' 하고 차비만 달랑 남겨둔 것이 고생을 자초하게 된 근원이었던 것이다.

차비 5원이 없어 오십여 리를 미련스럽게 걷던 내 모습을 생각하면 웃음도 나오지만, 작금의 눈 앞에 펼쳐지는 일련의 세태들도 곱게 만은 보아지지 않는다.

얄팍함 보다는 옛날의 나처럼 우직하고 미련스럼이 오리려 믿음직하지 않을까?

이미 50년이 다된 일을 되새김은 또다시 얼마 남지않은 한해를 보내야하는 아쉬움 탓 인지도 모른다.

세월은 흘렀건만...

1964년 7월 27일 (음력 6월 19일) 월요일.

부유한 집 자녀들이 대학입시 준비에 열을 올리고 있을 때

나는 온양 나드리 근처의 자전거 제작소인 삼광산업사로 실습을 나갔다.

한창 프레스 작업을 하고 있을 때 학교로부터 어머니가 위독하시다는 긴급 전화가 날아 들었다

그날 아침 어머니는 평소와 달리 흔들어 깨워도 일어나지 않으셨다.

세상을 하직하기 직전인데, 그걸 모르고 바보처럼 어머니 곁을 떠난 것이다.

인간의 죽음을 한 번도 목격하지 못한 때지만, 이 얼마나 어리석은 짓인가?
집에 도착하니 어머니의 시신은 이미 가림 막으로 가려져 있었다.

어머니는 전날도 텃밭에서 김을 매고 거름까지 주셨건만, 밭고랑에 신발만 남겨놓고 말 한마디 못한 채 55세의 젊은 나이로 떠나셨다.
진날 지녁식사 후 가슴이 답답해 죽겠다고 날뛰셨다는데 나와 동생들은 잠이 깊이 들어 아무것도 몰랐고 아버지는 그런 어머니를 미쳤다고 매정하게 따귀마저 갈겼단다.

어머니는 실신하신 상태로 밤사이에 죽음으로 빠져드신 것이다.
당숙께서 급히 달려와 어머니를 업고 시내로 달려갔지만, 어머니의 몸은 이미 굳어 주삿바늘이 안 들어갔다 한다.
영전 앞에서 한동안 서럽게 울다 탈진한 상태로 잠이 들었다.
눈을 뜨니 밖에는 이미 상여가 대기해 있었다.
더 이상 슬퍼할 겨를도 없이 어머니는 당일 장으로 유택에 들어가셨다.
아침에 눈을 감으시고 불과 대여섯 시간 만에 벌어진 일이다.

그로부터 이미 52년이 흘렀다. 제삿날이 다가온다.

그리운 마음에 인척이 모두 떠난 외갓집 동네를 둘러본다. 어머니가 태어나 출가하기 전까지 사시던 곳이다.

동네 입구 수유나무도, 아무도 살지 않고 비워둔 외갓집도, 마을 뒤 연암산의 봉수대도 옛 모습을 그대로 간직하고 있다. 내 나이 이미 저승길을 눈앞에 두고 있으되 아직도 눈앞에 어른거리는 어머니 모습. 그립습니다, 어머니!

부끄럼을 모르는 노인들

지인의 초청으로 사무실로부터 꽤 멀리 떨어진 노원역 근처에서 한잔할 일이 생겼다.

전에 공직에 있을 때 함께 근무한 이들이라, 시간 가는 줄 모르고 두어 시간 동안 대화 속에 빨려 들다 각자의 갈 길로 헤어졌다.

일행과 헤어진 후 동대문역에서 1호선으로 환승했다.

밤늦은 시간이라 차내는 그리 붐비지 않았다.

덕분에 편히 자리를 잡고 앉아 지긋이 눈을 감으며 심신에 누적된 피로를 풀 기회를 가질 수 있게 됐다.

차량의 문이 닫히기 일보 직전에 70대 후반으로 보이는 남녀 두 분이 황급히 차에 올랐다.

두 사람은 경로석에 풀석 주저앉더니 마치 제집처럼 큰소리로 떠들기 시작했다.

주위 사람들이 모두 인상을 찌푸렸으나 그들은 조금도 개의치 않고 오히려 더 큰소리로 지껄여댔다.
행동거지를 살펴보니 상당히 취한 듯한 모습이었다.

이들의 행동을 보다 못해 한 승객이 그들의 행동에 제동을 걸고 나섰다.
그는 취객의 반대편 일반석 출입구 쪽에 자리 잡고 있었다.
그도 대략 60대 중반은 돼 보였고 덩치가 좋았다.

"조용히 좀 합시다."

그의 말은 차내에 있던 대부분 사람들의 공감을 얻기에 충분했다.
나 또한 그의 말에 십분 공감하고 있던 터였다.

그런데 그놈의 술이 문제였다.
경로석에 앉아 있던 노인이 벌떡 일어서더니 말 참견한 사람에게 다가가 발길질을 하며 육두문자를 날렸다. 적반하장 격이다.
그도 당하고만 있을 리가 없다.

결국 지하철은 삽시간에 아수라장이 되었고, 주변의 젊은이들이 나서 싸움을 뜯어말리는 상황이 되었다.

함께 타고 있던 승객 중엔 노인들도 꽤 되었다.
그들은 한결같이 부끄러움과 수치심을 느끼며 민망스러운 모습을 보였다.
참으로 늙은이들의 추태가 도를 넘고 있었다.

차량이 서울역을 지날 때쯤 다투던 이들도 모두 내렸고 차 안은 다시 조용해졌다.
그리고 한 정거장을 더 간 남영동에 이르자, 지하철 수사대원 5명이 누구의 신고를 받았는지 범인 검거를 위해 출동했다.

그러나 이미 술 취해 다투던 승객들은 모두 하차한 뒤였다.
취객들은 참으로 운이 좋았다.
한 정거장만 늦게 내렸더라면 그들의 치졸한 꼴불견 행위는 분명 법의 심판을 받았을 것이다.

이쯤에서 끝난 건 정말 잘 된 일이지만 추태를 부린 자들이 언제 어느 곳에서 또다시 이런 행위를 되풀이할지 모르겠다.

술은 적당히 마셔야 한다.

청소년들을 선도하고 모범을 보여야 할 노인들이 오히려 젊은
이들 앞에서 추태나 벌인다면 이는 지탄받아야 마땅하다.

누구든 차내에서 공중도덕에 어긋나는 행동은 삼가야 한다.
오늘은 정말이지 못 볼 것을 보고 말았다.

부부싸움도 부러울 때가 있다더라

요즘은 홀로 사는 이들이 많다.

아직 미혼이라서 홀로사는 경우도 있고, 결혼에 실패해서 홀로 사는 이도있고, 배우자중 일방이 먼저 세상을 떠나 홀로 된 경우도 있다.

홀로 살면 사생활에 간섭당하지 않아 편한 면도 있을 것이다.

그러나 그보단
'불편함이 더 많지 않을까?'

홀로 사는건 어쩔수 없거나 홀로 살다보니 그 생활에 익숙해졌거나 둘중 하나 일거란 생각이 든다.

물론 결혼해서 일가를 이루고 살다보면 서로 아껴주고 감싸는 경우가 많겠지만, 때론 사소한 일로 다투며 소란을 피우기도 한다.

정도의 차이는 있겠지만 한평생을 살면서 말싸움 한번 안하고 지낸 사람은 거의 없을것이다.
잉꼬부부라 할지라도 말이다.

나의 경우 이미 50년 가까이 배우자와 함께 살고 있지만 부부싸움 없이 지나간 날은 손꼽아야 할듯하다. 그렇다고 이웃에게 손가락질 당할정도는 아니다.
그저 남들이 보기에 평범한 가정일 뿐이다.

비록 극소수 이긴 하지만, 주변에 싸움이 잦은 분들도 있긴하다.
부부싸움이 크게 번져 창밖으로 큰 소리가 새어 나오기도 하고 가재도구가 망가지는 소리도 듣긴했다.
그런일을 목격할 때면 참지못해 속에서 육두문자가 입가로 나올락말락 한때도 있었다.

얼마전 버스안에서 60대후반으로 보이는 아주머니 두분의 대화내용을 본의 아니게 귀동냥하게 되었다.
대화내용을 듣자니 두분은 한 아파트에 살고 있음이 분명했다.

"얘, 그 10층에 사는 젊은부부 있잖아, 엊그제 이사갔어."
"그래, 그렇게 하루가 멀다고 다투더니 헤어진건 아니구."
"그런건 아닌것같아, 그집 이사가고 나니 앓던이가 다 빠지고 난 것같아. 저녁만 되면 우당탕 물건 내던지며 싸우는소리에 진력이 났었는데..."

"무슨 사연이 있겠지. 얘! 난 혼자 살다보니 남들 부부싸움하는 것만 봐도 부럽더라"
두분 대화중 내 마음이 머문 곳은 바로 이대목이다.

'혼자 살다보니 부부싸움하는 것도 부럽더라'

정말 그럴까?, 속에서 웃음이 치밀었다.
그러나 가만 생각해보니 그럴수 있겠단 생각이 들었다.
사소한 부부싸움은 어쩌면 애정의 표현일수도 있을 테니까.
그리생각하니 지금까지 사소한 말다툼이 끊이지 않았던 우리부부도 부러워하는 분들이 있지 않을까!
하하하

인생의 황혼기, 그 빛과 그림자를 담다

머피의 법칙

아침신문에 맘에 드는 기사가 떴다 .

요즘 코로나 확진자가 다시 치솟고 있는데 혈액형이 o형인 사람은 다른형보다 코로나에 감염될 위험이 상대적으로 적다는 미국과 중국의 연구자들의 분석이 나왔기 때문이다. 내가 o형이니 반가운 소식이 아닐수 없다.

노인들이 사는 아파트 이다보니 연일 사소한 시비가 끊이질 않는다.

출근하자마자 노인회장이 찾아와 단지내 주정뱅이 퇴출을 위해 어제 몇명이 모여 논의했다는 동향을 알려왔다.

여기까지는 그런대로 괜찮은 조짐이다.

새로 이사한 집의 가스렌지 점화가 또 안됐다.
빈집 상태가 2년이상 지속돼 점화구가 막혀 부속을 교체해야하
는데 업체가 즉시 현금지불을 요구해 실랑이가 있었다.

담당계장이 업체와 입주자와 관할 도시공사 주무자 사이에서
타협을 유도하느라 진땀을 빼는 모습이 애처러워 보인다.

"어느할머니 한분이 단지 안에서 늘상 마스크를 안 쓰고 다니
니 단속해 달라" 고 진상끼 있는 오지랖 넓은 또 다른 할머니가
시위를 하다 갔다.

퇴근 무렵엔 또 다른 할아버지 진상이 찾아와 혈압을 돋우었다.
" 할머니들 몇분이 복도에서 마스크도 안 쓰고 수다를 떤다" 며
'관리실에서 뭐하느냐 ' 고 시비를 걸어왔다.
코로나 공포증이 이 단지 노인들에겐 유독 심하다.

퇴근하려니 비가 쏟아진다.
아침엔 비소식을 못 들었는데...
핸드폰을 켜보니 아내의 부재전화가 여섯통이나 됐다.
아내가 버스에서 삼성카드를 분실 했단다.

인생의 황혼기, 그 빛과 그림자를 담다

집에 도착해 우편함을 보니

'이건 또 뭐야!'

관할 경찰서에서 날아온 것이다.

2주전 오산에 다녀오다 속도위반 했다며 범칙금 3만2천원을
납부하라는 통고서다.

오늘은 완전히 "머피의 법칙"이 적용된 날이다.

갈등해소

5일간의 설 연휴가 끝나고나니 가내에 사소한 후유증이 생겨났다.

예로부터 집안이 모이면 시시비비로 틈이 생기는 일이 다반사였다.

올해는 무탈하게 지나는가 했는데 산통이 깨졌다.

한 달전 애완용 강아지 한마리를 아내가 지인으로부터 기증받아 기르기 시작했다.

조막만한 놈이 털도 새하얗고 어찌나 재롱을 부리며 사람을 따르는지 동물사랑이 별로인 나마져 귀여움을 감출 수 없을 정도다.

인생의 황혼기, 그 빛과 그림자를 담다

태어난지 대여섯 달 밖에 안되는 어린놈이다.

잘 때는 항상 아내의 베개를 함께 베고 잘만큼 친근하며 아직 짖을 줄도 모른다.

아내도 치매예방에 좋다며 치맛자락을 물어 뜯으며 졸졸졸 따르는 강아지에게 이미 마음을 빼앗겨 버렸다.

설 차례를 지내러 춘천에서 올라온 초등학생과 유치원생 손자 녀석들도 하룻밤을 지내며 귀염둥이와 씨름하다 그만 정이 들어버렸다.

차례를 마친후 아내의 동의는 없었지만, 너무 좋아하는 손자녀 석들 품에 강아지를 안겨 보냈다.

아내도 그냥 웃으며 학대하지 말고 잘 키우라고 덕담을 보냈었다.

강아지가 사라진후 아내는 안절부절 못하며 일이 손에 잡히지 않는 듯한 모습으로 하루에도 서너번 씩 강아지 안부를 물으며 아들에게 전화를 했다.

부담을 느낀 아들이 어제 강아지를 데리고 올라왔지만 애들이 울고 불고 난리라며 다시 데려갔단다.

어머니와 자식사이에서 고심하는 아들녀석의 심정을 이해 할만 하다.

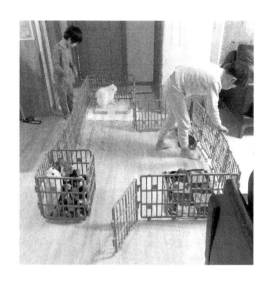

엊저녁은 아내가 신세한탄하며 서방도 자식도 다 필요없다며 나를 향해 한동안 퍼부어 댔다.
곰곰 생각해보니 아내의 마음을 읽을 수 있었다.

매일 다니는 포교당에서 '설날에 누구누구는 자식한테 용돈을 얼마 받았다'며 입방아 찧어대는 걸 듣다 그만 자격지심이 든 게 분명하다.

아내의 입에서 푸념이 흘러나왔다.
'아무개집 자식은 부모님 치매예방하라고 애완견을 선물도 하는데 우리 새끼들은 제 새끼만 안다는 둥'

설에 둘째 말고는 인사치례를 제대로 못한 듯하다.

큰 놈은 아들 대학보내느라 입학금 마련에 정신없고 막내는 하나도 힘든데 둘을 키우느라 똥줄이 탈테니 말이다.

이레저레 심통이난 아내가 강아지를 미끼로 시위를 벌이고 있었던 게다.
거기다 오늘 아침엔 틀니를 놓쳐 땜질하려면 또 10만 량이 나가야 한단다.

출근하면서 주머니돈 8만원을 털어 "어제 춘천 아들녀석이 강아지 공짜로 가져가 죄송하다며 보낸거야. 이제 강아지 보내라고 또 전화하지마." 하고 거짓으로 말해 주었건만 속이 다 풀렸는지 고맙단 표정이다.

정이란 별거 아니다.
'큰 돈 아니라도 이렇게 마음을 확 풀게 만들수 있는건데....'
출근후 틀니 고치는값 10만원도 이유없이 아내에게 송금해 주었다.
아내는 남편이 주는 돈 보다 자식들이 주는 돈의 가치에 더 보람을 느끼고 흐뭇해 하는 것이다.
젊었을 때 이런 이치를 안다면 철이 든 것이다.

늙지 않을 방도가 없건만 저들은 예외인 양 나 몰라라 한다.
나도 젊을 땐 그랬으니까.
오늘은 사소한 모자간의 갈등을 단 돈 8만원으로 해결해 봤다.

이 또한 因緣일세

아내는 딸만 둘 있는 집의 맏이다.
그러니 나에게 [처남]이란 가당치 않은 용어다.

추석차례를 마친 오후 나를 [매형]이라 부르는 50세 남자와 마주앉아 술잔을 기우렸다.

세상 살다보면 하고싶어도 참아야하는 말이 있고, 해서는 안될 말도있으며, 꼭 해야될 말도 있게 마련이다.

오늘 둘이 마주앉아 하던 얘기는 서로가 알아서 불편하거나 참아야할 말이 아니며, 해서는 안될 말도 아니요, 오히려 꼭 해야될 말이다.

'그런데도 지금껏 망설이고 머뭇거린 것은 무슨 까닭인가?'

처남은 지난 설 명절때부터 술의 힘을 빌려 "27세된 딸이 있
다." 는 도무지 믿기지 않는 얘기를 했다.
결혼한지 꽤 됐고 연상인 처와의 사이에 애가 없다는것을 뻔히
알고 있던 우리 내외다.

굳이 자식이 있다는걸 반신반의 하는 우리 내외에게 이번 추석
엔 딸과 같이 오겠다 다짐 했었다.
기대를 갖고 기다렸는데 이번에도 그는 홀로왔다.

술이 서너순배 돌자 처남이 입을 열었다.

"결혼할 땐 몰랐는데 알고보니 처가 재혼인데다 어린 딸마져 있
었어요. 거기다 90세된 장모까지 모시는 형편입니다."

"그것도 다 인연일세. 그말이 왜 그리 입밖에 나오기 힘드나. 복
짓는 일일세!"

홀쩍이는 처남을 위로하며, 사실은 나도 그에게 해주고 싶은 말
이 있지만 수년간 더 감추기로 마음 먹었다.
처남은 50년전 딸만 둘을 둔 나의 처가와 피치못할 사정으로

인연을 맺게 되었다.
그의 부모는 모두 내 아내와 초등학교 동창생들이다.

이웃동네 처녀총각은 불장난 끝에 태어난 어린 핏덩이를 장모님 댁 울타리 안에 들이밀고 각기 서로 다른 짝을 만나 헤어졌다.

그 핏덩이를 홀로 사시던 장모님이 맡아 키우셨다.
도중에 생활능력이 없어지자 돌아가실 때까지14년간을 핏줄이 섞이지 않은 자식또래 처남을 장모님과 함께 내집에서 부양했다.

처남은 이런 사연을 전혀 모르고 있다.
아직도 장모님을 친어머니로만 알고있다.
아내와 처제는 행여라도 처남이 알고 상처를 받을까 염려해서 일체 함구하고 있다.

나는 생각한다.
「그의 부모가 세상을 뜨기 전에 그에게 생의 전말을 알려주는 게 도리라고.」

10년 전 만해도 그의 부모들은 자식의 안부보다 현재의 평화로운 가정에 영향을 미칠까봐 전전긍긍하는 모습이었다.

'이제 그들도 칠십이 넘었고 자녀들도 모두 출가한 연후 일테니 서서히 때가 무르익어 가고 있지 않을까?'

그렇지만 아직은 말 할때가 아닌듯싶다.
그래서 처남이 숨겨진 얘기를 머뭇머뭇하며 수년을 끌었듯이 나 또한 그에게 허심탄회 얘기하지 못하고 당분간은 가슴속에 묻어 두어야만 할까보다.

경자년 정월 열아흐레 풍경

어제까지 좋던 날씨가 *끄물끄물*하더니 새벽녘부터 한 두방울 빗물이 스치기 시작했다.
2019년 2월 12일。(음력으론 庚子年 1월 19일 乙酉일이다)

눈을 뜨고 조간신문을 대충 훑어본 후 태어난지 8개월된 강아지 한마리 앞세워 산책길에 오른다.
방에서 느끼던 바와 달리 비는 그칠 낌새가 아니다.
가던 길을 멈추고 되돌아 온다.

거울을 보니 주름살이 늘고 정수리는 훤한데 흰머리마져 보기 흉측하게 헝크러졌다.

가랑비 탓에 운동시간이 단축되어 대신 염색할 시간이 생겨났다.
한참 젊어 보인다. (그런다고 제나이가 어디가랴!)

출발한지 1시간 40분만에 사무실에 당도하니 입주해있는 복지센터 사무실 천정에서 빗물이 뚝뚝 떨어진다.
준공된지 5년밖에 안된 아파트 곳곳이 비만오면 난리다.
너무 부실하게 지어졌다.
'의료안심주택' 이라며 홍보는 요란스럽게 해대지만 정작 안을 드려다보면 하자투성이다.

잘못한 놈들은 따로 있는데 '관리자' 랍시고 공연히 마음만 무겁다.
입가에서 뱅글뱅글 도는 육두문자를 머리통에 쑤셔넣고 일상의 업무로 돌아갔다.

'우한'에서 전파된 신종 코로나 바이러스 때문에 노인정을 주초부터 걸어 잠갔다.
노인들이 모여 입방아를 찢지 않으니 사무실이 조용해진 느낌이다.

입주민 절반이상이 기초생활 수급자인지라 동사무소에서 특별히 신경을 쓴다.

오늘은 동직원 서너명이 마스크와 종량제 봉투를 직접 들고 와서 가가호호 방문하여 나눠 주고 갔다.

오후4시경
"도와주세요~ 도와주세요~"
연거푸 소리치는 소리가 사무실 안까지 들려왔다.
'행여 단지 주민중 누군가가 사고를 당한건 아닐까?'

걱정스런 모습으로 소리나는 쪽을 바라봤다.
빗길에 쓰러져 있는 사람곁에 두명의 젊은이가 열심히 심폐소생술을 시행하고 있었다.
얼른 뛰어 들어와 119에 신고를 해 주었다.

잠시후 119 대원들이 도착했다.
쓰러졌던 노인이 부시시 눈을 뜨고 스스로 일어났다.
내 또래 쯤으로 보인다.
언제 그랬나 싶다.
혹 간질 환자일지도 모른다는 생각이 불현 듯 머리를 스쳤다.

퇴근길 만원 전철안.
'예수 믿어야 천당간다.'며 승객을 헤집고 다니던 미치광이 같은 종자들이 요즘은 어디갔는지 잘 안보인다.

인생의 황혼기, 그 빛과 그림자를 담다

대신 문재인을 성토하며 탄핵해야 한다고 열을 내는 사람이 나타났다.

승객들은 무덤덤하다.

광화문 집회장이라면 모르되 전철안에서의 지나친 행동은 꼴불견으로 보인다.

전철에서 내리니 비는 더 세차게 내리기 시작이다.

핸드폰이 울린다.

아내다.

일부러 밥을 태워 누름밥을 구수하게 끓였단다.

어서가자!

아침에 나온 집으로.

가서 스트레스 휙 날리고 편한밤 보내야겠다.

向親子心 (향친자심)

향친자심이라!
어버이를 향한 자식의 마음을 이렇게 사자성어로 표현해 본다.
오늘은 3월 30일 월요일이다.
토요일과 일요일을 가족과 함께 지내다 월요일이 되어 출근하려면 마음 한구석이 항상 불안하다.

오늘은 또 무슨 일이 일어날까?
비록 소소한 일일지라도 항상 긴장감이 돈다.

꿈이란게 별로 과학적 근거도 없고 너무 집착할 필요가 없다는 게 평소 내 생각이지만, 간밤 꿈 때문에 하루를 근신하며 지내는 일이 가끔 발생 한다.

어젯 밤도 눈을 감으면 연로한 노인들이 주변에 나타나 다소 께름직 했었다.

새벽 산책에 이제 중년이 된 큰 딸애가 어제부터 동참해 지루함이 없었다.

출근 후 한 아주머니가 관리실로 찾아왔다.

6층에 사는 90이 훌쩍 넘은 할머니 한분이 현관키를 집에 놔두고 나와 복도에서 맨발로 안절부절하니 도와달라는 이웃주민의 신고다.

할머니는 스마트키는 물론이고 번호키의 숫자마져 까맣게 잊고 있었다.

관리소에 비치된 입주자 카드를 열람해보니 따님의 휴대폰 번호가 나왔다..

다행히 따님이 현관 번호키의 비밀번호를 알고 있었다.

덕분에 할머니는 무사히 집안으로 들어가실 수가 있었다.

조금 후 매일 출근하는 도우미 아주머니도 오셔서 따님도 관리실도 마음을 놓았다.

부모가 편안해야 자식도 편안한 법이다.

비록 의료안심주택이라고는 하나 연로한 부모를 홀로 두고 떨어져 사는 자식의 마음이 어떠하리.
부모의 자식사랑에 비하면 부모를 향한 자식의 효심은 조족지
혈이겠지만...
오늘과 같은 경우 따님의 마음도 가히 헤아릴만 하다.

며칠 전에도 어느댁의 둘째 딸이라면서 전화가 왔었다.
몇 호에 사는 85세의 어머니가 당뇨도 있으신데 전화연락이 안
되어 궁금해 죽겠단다.
인터폰을 해봐도 안 받는다.
경비반장을 올려 보냈지만 기척이 없다.

따님은 현관 비밀번호를 알려주며 들어가 보라 했다.
아무리 그래도 남의 집을 함부로 들어갈 수는 없다.
딸은 발을 동동 굴렀다.

다음 날 할머니가 관리소를 찾았다.
"어제 우리 딸한테 전화 왔었지요, 내가 병원에 잠시 다녀왔는
데 그 사이를 못참고... 미안해요 성가시게 해서"

"전혀 아닙니다."

나는 오히려 무사한 할머니를 보고 반갑게 응대해 주었다.
대개 아들보다는 딸들이 부모걱정을 더하는 편이다.

인생의 황혼기, 그 빛과 그림자를 담다

아무리 각박한 세상이라도 이 두 경우를 보면 효심 많은 자녀들이 주변에 많을거란 생각에 우리의 후대들에 대한 걱정이 맘속에서 서서히 사라져감을 느껴본다.

나이좀 고쳐볼까!

어려서는 빨리 어른이 되고 싶어한다.

또래중 형소리 듣기를 즐겨하며 자기나이보다 더들어 보이려고 애를 쓴다.

적어도 남자나이 50세까지는 이런 사고가 지배하고 있는듯 하다.

여성들의 세계는 어떨지 모르겠다.

50이 넘으면 상황은 달라진다.

오히려 제나이 보다 줄이는 경우가 다반사다.

나이가 들면 직장에서건 어디서건 푸대접받기 십상이기 때문이다.

인생의 황혼기, 그 빛과 그림자를 담다

80여세에 작고한 어느 종친분은 나이를 물으면 항상 49세라 답했다.
추궁하여 다시물어도 대답은 항상 똑 같았다.

"몰라, 내나이 49세때 이후론 헤아려보지 않아서..."

「나이좀 고쳐볼까?」

50이 넘어 이런 생각을 한다면 아마 직장에 좀더 다니기위해 나이를 줄이려 할게다.

어제 부산사는 여동생이 뜬구름없이 나이를 고치겠단 전화를 했다.
사연을 물어보니 실제나이보다 호적나이가 4살이나 줄어 제나이를 찾아야겠단다.
육이오 전 해에 태어났으니 올해 우리나이로 68세다.

"그 나이에 고쳐서 무얼하게?"

궁금해 묻는 내말에 동생의 대답은 간단했다.

"손해보는게 너무많아."

'4살이나 실제보다 줄었으면 사회생활하는데 덕이 되면 됐지 손해볼 일이 무얼까?'

그러나 동생의 다음말을 들어보니 수긍이 갔다.

"실제 나이대로라면 지금 경로우대를 받을 나이잖아! 지하철도 무료이고 병원가도 1,500원이면 되는데 그런 혜택 하나도 못 받으니 손해잖아."

'이하! 그렇구나! 60대 후반에 들어서면 제나이를 찾아야겠구나!'

나도 동생의 말에 공감하고 나이 고치는 일에 도움을 주기로 했다.

울컥이는 마음

무릇 사물은 평온함을 잃으면 소리를낸다.
초목이 우는 것은 바람으로 인해 평온함을 잃기 때문이며
물이 소리를 내는것은 돌에 부딪혀 평온함을 잃기 때문이다.

사람도 역경에 처하면 평온함을 잃어 불평이 터져나오며
기쁨에 맞닥뜨리면 울컥해져 목이 메이기도 한다.

사람의 마음은 천차만별해서 그마음을 꿰뚫키란 참으로 어렵다.

여러 사람을 대하다 보면 입을 봉한채 벙어리 같은 형상을 해
도 간사한 자가 있기 마련이고
말이 많고 계속돼도 오히려 솔직하고 사심없는 자도 있다.

2년전 고희기념으로 "벼락맞은 대추나무처럼" 이란 제목의 자전에세이집을 자비로 출간한적이 있다.

500권만 소량 인쇄해 지인들에게 100권 나누어주고 30권은 각급도서관에 의무배송하고 370권을 문고에 내다팔았다.

문고의 재고를 조회해보니 아직 5권가량이 서점에 남아있을 뿐이다.
이만하면 소기의 성과를 올렸다고 자부할만 하다.

며칠전 부산사는 6촌형님이 책한권 보내달란 전갈을 해왔다.
사실은 한권을 그냥 보내드리려 했는데 그간 전화연락이 안된 탓에 못보내 드렸던 것이다.

책을 부치면서 계좌번호를 알려달란 형님의 요청이 있었지만 불과 1만원짜리 책값을 받을 처지가 아니라 묵살해 버렸다.

그러나 형님의 끈질긴 독촉에 할 수없이 계좌번호를 알려주고 말았다.

오늘 점심식사후 살펴보니 형님은 거금 10만원을 보내셨다.
눈시울이 뜨거워지며 잠시 마음이 울컥해 졌다.

인생의 황혼기, 그 빛과 그림자를 담다

인사차 전화를 올렸다.
"이런 거금을 보내주시다니..." 하며 말을 잇지 못하자
" 이사람아, 책은 아무나쓰나. 출판하느라 얼마나 고생했겠나.
자랑스럽네." 하시면서 말을 막았다.

전화를 끊으며 다시 맘이 울컥해짐을 느꼈다.
서로간 진심이 통하면 이런가보다.

초목이 울고 물이 소리를 내는 것처럼 사소한 기쁨이 내마음의
평온함을 앗아가 버린 것이다.

'고맙구려 형님!'
멀리서 나마 인자하고 정이 깊은 형님의 모습을 떠올리며 만수
무강을 빌어본다.

犬公을 보내며

금년 추석엔 쉬는 날이 너무 많다.
한달의 3분지 1을 쉬게 되었으니 마치 가을방학이라도 맞는 기분이다.

좌파정부가 경기활성화라고 생색내며 내놓은 임시공휴일이 기대와는 정반대의 결과로 나타났다.

너도 나도 해외로 빠져나가 여행수지에 빨간불이 켜짐은 물론이고, 생산활동이 위축되어 국내 자영업자들은 울상을 짓고있다.

전쟁위기설이 꼬리에 꼬리를 물고 있건만 정작 내국인들은 "설마" 하며 너무나 태평하다.

인생의 황혼기, 그 빛과 그림자를 담다

그런 점은 우리부부도 마찬가지이다.

추석차례를 마치고 나니 자식 손자들은 모두 되돌아 가고, 집안엔 다시 썰렁하니 우리부부만 남게 되었다.

큰 녀석이 영화 " 남한산성" 을 예매해 놔 저녁에 관람했다.
오랑캐가 국경을 넘어와 강토를 짓밟고 백성을 유린하는 데도 속수무책이던 정부.

남한산성으로 쫓겨 들어가서도 '주화파'와 '척화파'가 지리멸렬 대립만 일삼았던 조정.
결국은 오랑캐 앞에 국왕이 무릎을 꿇는 치욕으로 막을 내렸으니....

'작금의 현실이 병자호란 당시와 무엇이 다르랴!'

새벽에 눈을 뜨니
"똘똘이가 저세상으로 갔어요"
아내의 목메인 소리가 귓전을 울렸다.
추석날 자정을 못넘기고 간 모양이다.

내가 성화를 해도 수명이 다한 놈을 달포가량이나 동물병원에 데리고 다니며 정성을 쏟던 아내였다.

검색해보니 가까운 가산역 근처에 한곳이 떠 올랐다. 예약제라 오후 1시에나 가능하단다.
사람처럼 영정사진도 마련해주고 빈소도 차려졌다.

"부모가 돌아가셨을 때도 눈물이 안났는데..."
애견 장례식장에서 아내가 눈물을 짜며 뱉은 말이다.
17년을 집에서 길렀으니 정이 많이 들었다.

아내와 손자가 "똘똘이" 있는 하늘나라로 보내는 편지를 벽에 붙여 놓고 발길을 옮겼다.

'극락왕생하여 다음 세상엔 인간으로 태어 나거라.'
나도 마음속으로 빌어 주었다.

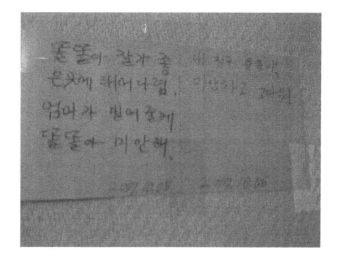

인생의 황혼기, 그 빛과 그림자를 담다

세상에 이런일도

해마다 4월이 되면 나라도, 사회도, 직장도, 가정도, 개인도 그저 바쁘기만 하다.
나라와 사회와 직장일은 할말이 태산같으니 그만 접어두자.

4월 초하루엔 전라도 순천땅에 내려가 고려중엽에 활동하시던 선조님(朴蘭鳳)의 묘역에 참배했고, 일요일(4월9일)인 어제는 경향(京鄕)각지의 집안들을 안내해 조선조 태종때 지신사(都承旨)를 지내신 파조(朴錫命)가 잠든 비무장지대의 묘소를 방문했다.

차중에 둘째 딸녀석의 전화가 왔다.
"아빠 통장으로 24만원 송금했어요".

"아니 그게 무슨말이냐?"
반문하면서 24만원이란 낯익은 숫자가 퍼뜩 떠올랐다.

"아빠 양복 한벌 해드리고 싶었는데 잘 되었어요, 제가 해드린 걸로 하세요"
가만 생각하니 엊그제 블로그에 올린 내용을 녀석이 읽은 모양이다.
공연히 자식에게 빚진 기분이다.

성묘를 무사히 마치고 돌아오니 아내가 하는 말에 저으기 놀라지 않을 수가 없었다.
"나 어제 죽을번한 일이 있었어."
이건 또 무슨 말인가?
어제 철야하겠다고 짐보따리 싸가지고 강화도 보문사로 불공을 떠나지 않았던가?

"글쎄 엊저녁 보문사에서 기도하다가 화장실에 가려고 신발을 구겨신고 계단을 내려오다 그만 미끄러져 3미터 아래 낭떨어지로 굴러버렸지 뭐야, 깜깜해서 아무것도 안보이는데 머리를 누가 바쳐주는듯 찌릿찌릿함을 느끼며 이제 저승길로 가는가보다 하고 콘크리트바닥에 떨어졌는데 몸에 아무런 상처가 없는 거야. 사람들이 모두 몰려나와 걱정을 하며 빨리 병원으로 가보라했지만 몸을 움직여봐도 이상한데가 없고 하루가 지난 지금 까지 아무렇지도 않네." 하며 천연덕 스럽게 얘기한다.

"제대성주님께 열심히 기도했는데 성주님께서 보살핀게 분명 해."
아내 말은 도저히 믿기지가 않지만 분명한 사실이다.
인간 눈에 보이지 않는 신(神)이란게 분명 존재하는 듯하다.
아니면 지성(至誠)이면 감천(感天)이라고 해야 할지.

이런 불가사의한 일을 20년 전에도 한번 겪었다.
바로 1998년 음력 2월 초하루였다.
내가 삼풍백화점 붕괴사고와 맞물려 제주도 여미지 식물원의 관리책임자로 내려가 있을 때이다.

당시는 IMF의 여파로 부동산 가격이 추락하고 역전세 바람이 거세게 일고 있었다.
안산에 세준 아파트가 한채 있었는데 세입자가 집을 빼달라며 성화를 했다.
부동산중개소에 전세값을 내려 내놓아도 보러오는 사람이 전무 한데다 세입자는 매일같이 성화였다.

또 인근에 살던 큰 딸애는 세 살던집에 담보가 꽉차 보증금을 떼일 위기였으며, 내가 제주에 머무는동안 내집으로 들어와 살

러해도 방이 안빠져 발만 동동구르고 있었다.

만리 타향에서 나도 맘만 불안해 안절부절 못하고 있던 중 이번엔 서울 애들한테 긴박한 전화가 도달했다.

"엄마가 어제 말도 없이 집을 나갔는데 아직까지 소식이 없어요. 가출신고를 할까봐요"

두 딸들이 울먹이고 있었다.

"좀더 기다려 보자"

전화를 끊었지만 아무일도 손에 잡히질 않았다.

오전 11시쯤 반가운 소식이 왔다.

아내의 목소리다.

화가 머리끝까지 올랐지만 아내의 말을 다 듣고 나니 기분이 가라앉았다.

엊저녁 친구와 무작정 상원사 적멸보궁을 찾아갔단다.

친구는 잠시 잠을 청했지만, 아내는 밤새 한숨도 안자고 일구월심(日久月深)으로철야 기도를 했단다.

그리고 10시경 서울 집에 도착했는데 10분도 안돼 안산집을 계약하자는 세입자가 나왔고, 딸아이의 셋집도 계약하겠다는 분이 1분간격으로 나타났다는 것이다.

이게 우연의 일치일까?

그 때도 반신반의 했지만 역시 신(神)이 있는가 보다 생각하기에 이르렀다.

내가 고등학교 입학시험을 치러 갔을때 어머니는 시골집에서 장독대에 정한수를 떠놓고 밤새 기도했단다.

그때의 수석합격도 물론 어린나이에 내 실력이라 생각은 했지만, 아마도 어머니의 정성이 하늘에 닿았을지 모른다는 생각이 없었던 건 아니다.

지금도 지난 날을 회상하며 이런저런 생각을 해보지만, 역시 신은 존재한다는 생각을 금할 길이 없다.

아내와 어머니가 해온대로 세상일이 안풀리면 철저하게 마음을 비우고 빌어봄도 미신적이라 몰아부칠 일은 아닌듯하다.

인생의 가을

해마다 가을이면
나뭇잎
형형색색으로 물들고

어느 놈이 먼저랄 것 없이
하나 씩, 둘씩 힘을 잃고
경쟁하듯 떨어져 나간다.

내 인생도 어느새 낙엽 지는 가을을 지나
앙상한 나뭇가지 드러나는
겨울 속으로 달려가고 있다.

젊은 시절엔 자식들 키우는 재미에
고생도 보람이었고
손자새끼 뒤 바라지 할 때면
지지고 볶아도
또 다른 감칠맛이 났었지.

젖먹이 때부터 맡아 왔던 외손자 녀석
고등학생 되더니
그제
책상이랑 침구랑 싸 들고 제 어미 곁으로 떠나갔다.

손자가 쓰던 방을 쓸고 닦던
할망구 마음은
헐렁하게 비워진 방 크기만큼이나
휑하니 뚫려 버렸나 보다.

손자 녀석 그립다며 전화를 해 보곤
핸드폰이 꺼져 있다며
안절부절못한다.

대학입시가 1년 남짓하니
지금쯤 수험공부에 지쳐 있을 테지.

그래도 찐한 마음이 있디면
답신 정도는 할 수 있으련만...

자고로
내리사랑은 있어도
치사랑은 없다 했느니라.

그런 걸 알면서도
못내 섭섭해하는 할망구
난들 무슨 말로 위로를 할까?

그동안 28평 아파트가 좁다고 생각했는데
두 늙은이만 남은 이 집이
오늘은 꽤나 넓어 보인다.

인생의 황혼기, 그 빛과 그림자를 담다

3장

인생을 고찰하며

세상만사 마음먹기 달렸더라

전철을 타고 출퇴근하다 보면 엘리베이터를 이용하는 이들이 많이 눈에 띈다. 대부분은 노약자 들이지만 젊은층도 심심찮게 보인다.

그들은 아마도 임산부이거나 몸이 불편한 분들이란 생각이 든다. 나는 무거운 짐이 있을 때 아내의 성화에 못 이겨 딱 한번 이용한 적이 있다.

걷는 것보다 시간도 더 걸리고 답답하지만 엘리베이터를 이용해야 할 만큼 기력이 쇠잔한 이들에게는 상당한 도움이 되리라 본다.

내가 아직 이런 대열에 합류함이 없이 생활하고 있다는 건 정말 홍복이 아닐 수 없다.

이삼 년 전까지만 해도 나는 전철에 자리가 나도 굳이 서서 다녔다. 그만큼 건강에 자신이 있고 힘도 들지 않았다.

그런데 요즘엔 자리만 있으면 앉게 된다. 경로석도 사양 않는다. 늙음 탓이다.

아내는 이미 무릎 통증이 와 앉았다 일어서려면 "아이고~ 아이고" 소리가 입에서 절로 나오고 있다.

엊그제 휴일은 TV에서 계단걷기가 건강에 좋다며 거의 1시간 가까이 방영됐다.

십수 년 전 홍콩에 갔을 때, 엘리베이터 없는 아파트에 사는 분들은 계단걷기가 의무화된 덕에 거의 병원 드나드는 일 없이 건강을 유지하고 있다는 얘길 가이드한테 들은 적이 있던 터라 방송 내용이 가슴에 와 닿았다.

방송이 나온 후부터 나도 계단걷기 운동을 실천 중이다.
일부러라도 해야겠지만 출퇴근 때 조금만 신경 쓰면 주변에 운동할 수 있는 계단이 꽤나 있음을 알게 된다.

인생의 황혼기, 그 빛과 그림자를 담다

9호선을 타고 가다가 당산역에서 2호선으로 환승하려면 아찔한 계단과 마주친다.
지금까지는 이 계단에 서면 감히 걸어갈 생각을 포기하고 에스커 레이트에 의지하곤 했었다.

그러나 지금은 반가운 마음으로 운동 삼아 성큼성큼 걸어 오른다.
조금도 지루하지 않다.
높거나 낮거나 계단만 보면 반갑다.
계단은 나의 운동장이다.

"세상 만사 마음먹기 달렸다."더니 이제야 그 깊은 뜻을 깨달았다.

앞으로도 나는 계단걷기를 생활화 하련다.
이 두 다리가 얼마나 버텨줄지 모르지만....

오랜만에 비가 내려 더위가 주춤하는사이 벌써 6월도 중간점을 돌아 숨가삐 달려가고 있다.

무식이 통하는 경우

어떤 이들은 꿈을 미신으로 몰아붙이지만 나는 대체로 꿈을 믿는 편이다.
특히 께름칙한 꿈은 대부분 현실에서 부정적으로 나타났던 경험이 있기 때문이다.

며칠 전 쉬는 날에도 안 좋은 꿈을 꾸었다.
1톤 차량의 조수석에 타고 어느 골목길에서 커브를 돌 때, 반대 방향에서 진입하던 승용차와 부딪혀 내가 탄 차량이 찌그러지고 바퀴가 빠져나가는 꿈이었다.

이런 날은 조심하며 집에서 지내야 하는데 무료해서 뒷산으로 향했다.

인생의 황혼기, 그 빛과 그림자를 담다

갑자기 왼쪽 엄지발가락 위 둥근 뼈 주변이 아파졌다.
걸음을 걷기가 심히 불편했다.

〈밤새 안녕〉이라 드니 꿈담 임이 분명하다.
기왕 나온 길이라 다리를 절룩거리며 산행은 겨우 끝냈지만 불안한 생각이 엄습해왔다.
집에 돌아와 양말을 벗어보니 부기가 좀 있고 주변을 만질 수가 없이 아팠다.

나는 가끔은 남들이 혀를 내두를 정도로 무식한 면이 있다.
전에 침을 배울 때 쓰던 소독도 안된 침을 몇 개 꺼내 아픈 부위 주변에 꽂았다.
20분쯤 뒤 빼보니 검은 피가 꽤 나왔다.
화장지로 대충 닦아냈다.

다음날 아침 출근시간엔 어제보다 더 심하게 아파졌다.
한의원에 가서 침을 맞으려다 우물쭈물하는 사이에 오전이 가버렸다.
이상히도 오후엔 아픔이 덜했다.
한의원 갈 생각을 접었다.

저녁엔 그 자리에 다시 사혈을 하고 부황도 떴다.

아침에 눈을 뜨고 걸어보니 아픈 부위가 없어졌다.
아니, 이게 어찌 된 일인가
그리 아프던 발이 감쪽같이 나았다.

가만 생각하니 발가락 위쪽 둥근뼈 주변에 어혈이 뭉쳐 있었던
듯하다.
어혈(瘀血)은 우리 몸의 쓰레기와도 같은 것.
쓰레기로 변한 나쁜 피가 체온이 낮은 모세혈관 쪽에 뭉쳐 있다
가 침과 부황의 공격으로 술술 빠져나온 것이리라.

참으로 신기하다.
공연한 걱정으로 쓸데없이 돈을 버릴뻔했다.
가끔은 나처럼 무식이 통하는 경우가 있다.

인생의 황혼기, 그 빛과 그림자를 담다

늙어가는 모습

새해가 밝은지 한달이 조금 지났다.
'뭔가 달라지겠지!'
기대감은 하루하루 지나면서 만신창이로 치닫는 느낌이다.

76세라! 믿어지지 않는다.
서너살 적엔 홍역과 싸우다 태반이 죽어갔고, 예닐곱엔 6.25
를 만나 피죽을 먹고 견뎠다.

여나무살엔 염병이라 불리던 호열자가 기승했고 청춘엔 폐결핵
으로 많은 젊은이가 저승사자에게 끌려갔다.

운 좋게도 지금껏 숨이 들락거리니 선택받은 인생아닌가?
그럼에도 더 살고 싶은 노욕이 멈추지 않는다.

젊었을땐 상상도 못하던 새벽 산행이 생활화 됐고 아직 직장의
끈도 놓지 못했다.
매일 만원 전철에 시달리며 젊은 대열에 끼어 숨쉰다.

아쉬운 건 지금의 경제부흥을 이룬 기적적인 부의 가치가 좌파
정부의 포퓰리즘으로 점점 좀먹어 무너져 내려가고 있음이다.

거기다 '신종코로나 바이러스 증세'는 사그러들 줄 모른다.
거리엔 환자를 연상케하는 마스크 쓴 사람만 눈에 들어온다.

예전엔 마스크쓴 사람 곁을 왠지 께름직해 피해갔었는데 이제
나도 마스크행렬에 서버렸다.
괜한 공포증세다.
오히려 마스크 안한 사람과 대화하려면 코로나에 감염될지 모
르겠다는 노파심마져 생겨난다.

좀 더 의젓하게 행동하고 싶지만
모두가 마스크쓰는데 나만 외톨이가 되긴 어렵다.

인생의 황혼기, 그 빛과 그림자를 담다

어제는 단지내 노인정도 잠정 폐쇄했다.

의료원에서 매주 시행하던 현장 건강상담과 검진도 잠정 중단
됐다.

사무실에 손세척 의약품도 비치했다.

식당과 극장등 사람이 모이던 곳은 손님이 줄어 울상이고 각종
행사에 연사나 사회자로 먹고 살던 이들도 생계에 위협을 받기
시작했다.

한달이 눈깜짝사이에 흘러가고 주말이 시작됐다.

입춘 한파도 꺾여 산행이나 할까하다 신문을 뒤적이다보니 점
심이다.

지도는 온통 붉은색이다.

미세먼지가 가득하다는 표시다.

에라! 오늘은 방안에 누워서 딩굴딩굴이나 해보자.

이 와중에도 아내는 사람모이는데 가지말라 성화했건만 조계사
법당에서 불공을 드리나보다.

어찌 사는게 웰빙(well-bing)인지,

어찌 늙는게 웰 에이징(well-ageing)인지,

어찌 죽는게 웰다잉(well-dying)인지

모호하게 느껴지는 하루다.

옛날 같으면 나도 大富

영하 18도까지 곤두박질치던 날씨가 풀려 오늘은 제법 견딜만
하다. 출근 무렵엔 두어 시간 동안 함박눈까지 내려 얼어붙었
던 몸과 마음마저 포근해졌다.

직원들과 아파트 단지를 돌며 노약자들이 미끄러지지 않도록
길을 뚫고 나니, 내리던 눈도 서서히 그쳐갔다. 덕분에 추위도
싹 가시고 기분도 상쾌해졌다.

엊저녁 당직하고 난 직원이 퇴근인사를 했다.
그때까지 퇴근못하고 함께눈을 치웠던 것이다.
내가 미리 알았더라면 밀어서라도 내보냈을 텐데 눈을 다 쓸도
록 생각이 그에게 미치지 못 했다. 그에게 미안한 생각이 들었다.

이것도 노동일이랍시고 사무실에 들어와 의자에 앉으니 옛날 시골에서 농사짓던 일이 불현듯 생각났다. 농사일은 나 같은 약질은 감당하기가 어렵다. 모심기, 김매기, 타작하기 등 어느 하나 힘에 부치지 않는 일이 없다.

시골에 살 땐 논 섬지기나 하는 집만 봐도 꽤나 부러웠다. 논 섬지기라야 일 년에 고작 쌀 60 가마의 소출도 어려웠지만 말이다. 그때는 쌀이 부(富)의 척도였다.

보통 장정 한 사람이 한 달간 먹는 쌀이 2말 2되 쯤 되니 일 년이면 혼합곡을 곁들인다 해도 두 가마는 먹게 되며, 5인 가족이라면 식량만 10 가마가 된다. 여기에 비료값과 품값, 공출 등을 감안하면 20가마는 돼야 빚 안 지고 현상 유지할 수가 있었다.

거기다 자식들에게 중,고등학교라도 보내려면 또 20가마는 족히 소요된다. 그러니 시골에서 중,고등학교라도 나왔다면 유복한 가정이라 할 수 있는 것이다.

처음 공무원에 발을 디딘 60년대 말의 월급은 쌀로 환산하면 두 가마 반쯤 되었다. 1년에 고작 30가마 수준이었던 것이다. 그래도 서울의 변두리 집 한 채가 쌀 50가마 정도라, 몇 년 허리띠를 졸라매면 집 한 채는 살수 있었다.

반세기를 지나는 동안 산업구조가 급속히 재편되어 이제 상품 가격을 쌀로 비교하는 사람은 눈뜨고 찾아볼 수가 없으며 이런 일을 거론하는 자체가 우스꽝스런 옛이야기가 돼 버렸다.

쌀로 친다면 웬만한 월급쟁이는 한 달치 월급만도 20가마는 넘을 것이다. 일 년이면 240가 마나 되니 옛날 같으면 나도 대부(大富)나 다름없다. 웃자고 한 얘기다.

어쨌던 나도 어릴 때 부러워하던 한섬 지기는 이미 달성하고도 넘치지 않았던가?
그러니 이에 더 무얼 부러워할 건가?

과거사를 지금 잣대로 재지마라

「모든 국민은 행위시의 법률에 의해 범죄를 구성하지 아니하는 행위로 형사상의 소추를 받지 않으며 소급입법에 의해 참정권등 기본권을 제약받지 않는다.」 법률 불소급의 원칙을 천명한 헌법조문이다.

법적으론 그러하다 하나 도덕적으론 소급해서 망신을 주고 인격을 손상케 하는 일이 우리 주변에 연일 비일비재하게 일어나고 있다.
특히 정치권과 권력의 핵심부에선 더 말할 나위가 없다.

한참 부동산 열풍이 불 때 돈 좀 여유가 있거나 아무 돈이라도 동원할 수 있는 위치에 있던 사람들이 신선처럼 불구경만 하던 이가 몇이나 될까?

'나라면 초연히 그리 했을까?'

그 대열에 못낀 사람들은 그럴 마음이 없어서가 아니라 여력이 없어서 였을것이다.

또 공직에 몸을 담았던 사람이라면 떳떳치 못한 돈을 단 한푼도 받지 않았다고 자부할 사람이 몇이나 되겠는가?

특히 지금같이 전산화가 이루어지기전 열악한 봉급으로 간신간신 쪼들리며 생활하던 시절 자녀들 대학까지 보낸 것이 정녕 청렴했기 때문이라고만 항변할수 있겠는가?

고위직에 있으면서 판공비를 제 돈처럼 여기며 사적으로 쓰지 않은 이가 이땅에 있기나 할 법한가?

지금은 우리나라가 경제수준도 기술수준도 문화수준도 선진국 대열에 다가서 있다고들 말한다.

그러니 지금도 그런 행위를 하는 인간이 있다면 혹독히 처벌해야 마땅하다.
그러나 지금의 잣대를 들이대어 과거의 행적을 따진다면 어느 누군들 자유스러울 수 있으랴!

인생의 황혼기, 그 빛과 그림자를 담다

카드가 생활화 되기 전엔 소상인들 조차도 공공연한 갖가지 방법으로 부가가치세를 탈세했다.

사회의 밑바닥에서 최상부까지 애국합네 청렴합네 떠들어봤자, 이 땅에서 수십년을 살아온 이상 오염되지 않은 이가 뉘 있는가?

오십보 백보요, 똥 묻은 강아지가 겨 묻은 강아지 나무라는격일 것이다.

국력이 약해 나라가 풍전등화에 처했을 때 살아남기 위해 강국에 빌붙어 대다수 국민에게 손가락질을 당하든이들도 그들의 자식 입장에 서보면 긍정적인 면도 상당할 것이다.

고려 말에는 친원파와 친명파가 대립하며 치고 받는 권력투쟁이 있었고, 한말에도 친미파와 친청파, 친러파와 친일파가 힘겨루기를 했다.

일본이 이겼으니 친일파가 득세했고 외세를 등지며 벼라 별 이권을 독점하다가 매국노의 함정에 빠진이 들이 얼마인가?
만일 러시아나 청국이 득세했다면 그 곳에 빌붙던 이들은 당당하게 사심없이 행동 했을까?

몽고가 짓밟고, 청나라와 명나라가 상전행세를 하며, 왜놈이 짓밟던 시대에 살다간 이땅의 민초들은 전쟁속에도 평상심을 잃지 않고 터전을 일구어 나갔다.

민초들의 마음 속은 외세에 짓밟히거나 탐관오리에게 수탈당하거나 이리살든 저리살든 어차피 못사는건 거기서 거기란 생각뿐이었을 것이다.

우리의 과거가 그러한데 무슨 사안만 생기면 뭐 트집 잡을 것없나, 뭐 까발릴 것없나 하고 과거사 파헤치기만 열중이니 속이 뒤틀린다.

과거에 잘 못했어도 싹이 보이면 장려하고 중용해야한다. 과거의 일은 당시의 잣대로 평가해야 마땅하다.

모든일은 시대조류에 따라야 한다.아날로그 시대에 벌어진 사안들을 디지털의 잣대로 평가해 잘 잘못을 따진다면 어느누가 온전하랴!

우리나라가 더더욱 선진화 하려면 과거는 반성의 기회로 삼고 참고만 할뿐 발목을 잡아서는 아니된다.

인생의 황혼기, 그 빛과 그림자를 담다

정치권에서 친박이니 친노니 쌈질하며, 나라의 운명이 걸린 사드배치를 놓고 국론분열을 일삼으며 청와대 참모진의 인사를 두고 기싸움이나 하는걸 보고 착잡해서 두서없이 갈겨 보노라。

이천십육년 음 칠월 십팔일 申時에 몸을 짓무르게하는 찜통 더위속에서 弘 法

늙어봐야 아느니

백세시대라지만 건강이 수반되지 않는 삶이라면 고통의 연속일 것이란 생각이 든다.

늙음이 서글프긴 하지만 그렇다고 아무나 늙을 수 있는건 아니다.
주변의 얘기를 들어보면 이러저러한 사유로 젊은나이에 생을 마감한 이들도 꽤나 많다.

그들의 가까운 친인척 들은 씻을수없는 한을 안고 살아가게 마련이다.
그러니 늙은이 소리 듣는게 어떤 의미에서는 행복이라 할수도 있을 것이다.

늙음의 징조는 서서히 찾아온다.
머리칼이 희어지고 주름살이 생기는 건 모든 이들이 겪는 초기 증상이다.

이런 증상이 나타나면 심란하긴 하겠지만 일상생활에 별 불편은 못느낀다.

늙음의 중기 증세는 보편적 현상과 멀어지며 거꾸로 나타나는 현상이 찾아온다.

낮에 활동하고 밤에 잠을 자야하나, 낮에는 병든 닭처럼 앉아서도 꾸벅꾸벅 졸다가 밤이 되면 잠이 안와 말똥말똥한 모습으로 지새우게된다.

입안의 침이 줄어들어 국물이 없으면 뻑뻑하게 느껴지다가도 졸고 앉아 있으면 침이 절로나와 질질흘리기 일수다.

그뿐아니다.
기쁠때 웃고 슬프면 눈물이 나와야 하거늘, 너무기뻐 깔깔대다 보면 눈물이 나오되 정작 슬플땐 눈물이 마른다.

옛 사람들은 이처럼 거꾸로 증상이 나타나면 서서히 저승갈 채비를 챙겼다.

그런데 백세시대가 되니 사람마다 이런 증세들을 크게 불편스러워 하지않는 듯하다.

늙음의 말기증세는 그보다 심각하다.

관절이 쇠퇴해 걸음이 부자연스럽거나 각종질병에 시달리며 고통을 받는이들이 주변에 너무많다.

또 겉보기엔 아무렇지 않은데 크게 불편을 느끼는 이들도 많다. 엊그제는 선배 두분과 문상중 만났는데 두분다 눈때문에 고통스러워 하고 있었다.

한분은 각막에 이상이 와서 혼자서 외출하기가 겁나 택시와 전철만 이용한단다.

버스는 번호를 잘못인식하고 탔다가 고생한 적이 한두번이 아니고, 예식장의 부페음식장에서는 젓갈이 음식있는 곳을 정확히 포착하지 못해 헛집는일이 많아 보호자가 동행해야 한단다.

또 한분은 안구건조증이 심해 거의 눈을 감다시피 했다.

"요즘 무슨일로 소일하시는 지요" 물으니
"죄가많아서..." 하고 싱긋 웃었다.

교회다니는걸 생활화하고 있다는 의미였다.
'눈뜬 장님' 이라더니 이런 경우를 두고 한 말인가 보다.

불과 70대 중반을 막 넘겼는데 이런 고통을 겪고 있으니 남의 일 같지않다.

몇 년전에 만난 80대 초반의 어느분은 지병은 없으되 지팡이 신세를 면치 못하고 사시는데, 발이 번쩍 안 올라가 얕은 문지 방도 혼자서는 넘지 못했다.

그뿐아니다. 방바닥에 철퍼덕 앉으면 지팡이를 짚고도 혼자서는 못 일어났다. 그래서 항상 의자에서 생활하셨고, 보호자가 없으면 문지방을 못넘기 때문에 밖에도 못나가셨다.

감옥생활을 하는거나 마찬가지 이지만 요양원이나 양로원에 버려지는것 보단 낫다했다.

불현듯 이런 모습들이 몇년 후 내모습이 될지도 모른다는 생각이 들어 씁쓸한 마음 금할길이 없다.

새로운 도전

내 어릴때 집앞 500미터 거리엔 작은 내(川)와 큰 내(川)가 각 각 하나씩 있었다.

작은 내의 물은 인근 논에 물을대는 수로(水路)역할을 했고 큰 내엔 아산만의 바다물이 들락거렸다.

여름이면 이 들 두 내에서 꼬마 친구들은 늘상 멱을 감으며 조 개도 줍고, 투망으로 물고기도 잡으며 즐거워하곤 했다.

이런 환경 덕분에 어릴때 친구들은 나만 빼고 모두 헤엄을 잘 친다.

인생의 황혼기, 그 빛과 그림자를 담다

'나는 왜 헤엄을 못치는가?'

물가를 거의 못 갔기 때문이다. 우리집은 아들이 귀했다.
내 위로 형이 하나 있었으나 홍역으로 조사(早死) 한탓에 졸지
에 외아들 신세가 되어 버렸다.

친구들과 멱을 감으려고 옷을 벗을라 치면 어느사이에 나타났
는지 누나들이 나를 낚아채 가버리곤 했다.

"너 올해 토정백이에 물가 조심하랬어."

그 놈의 토정백이[토정비결]엔 해마다 물조심하란 문구가 안 들
어 간적이 없다.
외아들인 내가 물가에 갔다가 무슨 변고라도 생겨 대(代)가 끊
길까 걱정한 가족들의 배려가 지나쳤던 것이다.

여하튼 이러저러한 시시콜콜한 이유로 아직 개구리헤엄조차 못
친다.
어느날 수영을 8년이나 했다는 지인의 얘기를 듣고부터 나도
늦었지만 한번 배워보리라 결심했다.

결심은 했지만 막상 배우려니 주변에 마땅한 곳이 없어 거의 1
년을 지나쳐버렸다.

그러던차 새로 부임한 직장가까운 곳에 위치한 체육 센터의 수영장이 내 마음을 사로 잡았다.

반가운 마음에 당장 달려가 등록하고 수영용품 까지 구입했다. 이 나이에 수영은 나에게 새로운 도전임이 분명하다.

일주일에 두번, 일과를 마치고 소원했던 운동을 마침내 시작하게 된것이다.
첫날 보니 내 또래다 싶은 [알고보니 나보다 열살쯤 연하들이다] 두분이 유아용 풀장에서 발장구 연습을 하고 있었다.

나도 강사가 시키는대로 열심히 발장구 연습을 했다. 끝나고 나니 시장끼가 생겼다.
전신운동 이란 말이 실감났다.

토요일은 강사없이 홀로 연습이다.
오늘은 토요일 이라서 강사없이 혼자 물과 싸워보았다.
신바람나게 도전은 시작되었지만 막상 접해보니 힘에부친다.

'언제쯤 나도 남들처럼 물속에서 자유자재로 떠다닐 수 있을런지.'

인생의 황혼기, 그 빛과 그림자를 담다

남의 일이 아닐세!

올해도 비무장 지대에 잠드신 파조(派祖)의 세일제(歲一祭)에 다녀왔다.
전국의 종인(宗人) 130여명이 참석했다.

젊은이들의 참여도를 높이기 위해 홀기(笏記)도 한글로 번역해 전파했고 헌관(獻官)도 처음 참여하는 이들에게 배정했다.
이런 노력과 배려에도 불구하고 전체 참여자의 90%는 아직도 60세 이상이다.

제사를 파하고 통일촌에서 식사도중 우울한 소식을 접했다.
82세된 항렬로 형님벌 되는 분이 종이 한장을 내밀었다.

20일전 부인이 세상을 떴다며 전자족보를 정리해 달라는 내용이다.
부인은 한살 적은 81세다.

예전은 물론이고 지금도 이 나이가 되면 가시는 분이 꽤나 된다.
살 만큼 살았다고 느낄지 모르지만 당사자의 입장은 그렇지 못하다.

요즘의 젊은이들은 독신주의가 보편화 되어 부부간 살을 맞대고 살다가 홀로된 경우의 심정을 헤아리지 못할게다.

70대 중반을 향하는 내 나이 또래라면 이해 하리라.
자녀결혼을 알리는 청첩은 뜸해지나 주변에서 들려오는 부음은 끊임이 없다.

남편이 먼저 간 경우보다 부인이 먼저 간 경우의 허탈감이 상대적으로 큰 것같다.
음식이건 세탁이건 제손으로 해보지 못한 우리 세대에선 그 절망감이 더더욱 클 수밖에 없다.

오죽하면 "식물 인간이라도 좋으니 곁에 살아만 달라." 는 절규가 튀어 나오겠는가?

인생의 황혼기, 그 빛과 그림자를 담다

"1년전 마누라 먼저 보낸 분을 조금전 만났는데 너무 수척해서 늙고 초라해 보이더라." 아내가 던진 말이다.

생전의 두분은 금슬이 좋아 매일 저녁 손잡고 산책을 한다며 부러워하던 아내였다.
남의 일이 아니다. '나도 얼마 후면 겪을 일 아닌가?'

둘이 한날 한시에 함께 가긴 힘들다.
둘 중 누군가는 먼저 가야하고 홀로 남은 이는 허망하고 외로운 나날을 보내야 할테니.

10여년 전 상처한 분과 돌아오면서 내가 말을 건넸다.
"이제 외국여행도 자주 다니며 여생을 즐기며 삽시다."하고

"아내도 없는데 혼자 무슨 낙(樂)으로 다녀요."
낙심(落心)이 묻어나는 그의 대답을 듣고 괜한 말을 했다는 자책감이 든다.

그와 헤어져 터벅터벅 걸어 들오는 길.
하늘에서 비를 품은 먹구름이 머리 위로 한 두방울씩 튕겨들기 시작한다.

春心

토요일이다. '종일 비가오고 낮에는 돌풍과 벼락마져 치겠다' 는 예보를 염두해 우산을 챙겨 넣고 복싱체육관을 거쳐 직장근 처의 수영장까지 다녀왔지만 비는 내리지 않았다.

경칩인 오늘은 바로 춘천에 사는 둘째 손자의 생일이다. 어제 할애비노릇 하느라 통장에 용돈조금 넣어 주었더니 애비한테 전화가 왔다.

초등학교 2학년이 된 큰녀석이 며칠전 집근처에서 놀다 넘어 저 무릎 위부분이 찢겨 삼십바늘이나 꿰맸다는 것이다.

인생의 황혼기, 그 빛과 그림자를 담다

'어린 것이 피를 얼마나 흘렸으며, 통증을 어찌 감당했을까?'
또한 '에미와 애비는 얼마나 놀랐을까?'

"왜 이제야 애기하느냐?"고 나무랄 맘도 없다.
내가 실시간에 알았다한들 뾰족한 수도 없으려니와 괜한 맘고
생만 더할 뿐이다.

'자식녀석도 그걸 염려해 이제야 발설한 것' 이리라. 지금은 그
럭저럭 학교는 다니고 있다니 천만다행이다.
'자식을 키워봐야 부모마음 안다.' 더니 애비도 지금 부모교육
단단히 받고있는 셈이다.

지난해 아파트 주민들에게 천자문을 가르치는데 어느분이 인터
넷에 천자문엔 봄춘(春)자가 없다는 글을 올려 확인해보니 사실
이었다.

그래서 천자문을 떼고도 그 흔한 입춘대길(立春大吉)도 못쓴다
며 빈정대는 말이 생겼다한다.
혹자는 천자문을 지은 '주흥사' 란분이 더운지방에 살아 봄을
느끼지 못했기 때문이라 하나 나는 동의하지 않는다.

봄은 생동의 계절이며 계절의 시작점이다.
시작은 언제나 설레임이 앞선다.

'설레임은 왜 생기는가?'

미지의 세상에 대한 기대감 과 호기심 때문이다.
기대감 과 호기심은 인간들로 하여금 조바심을 자아낸다.
차분히 준비하며 기다리면 될것을....
발광하다 일을 그르치기 일수다.

'春心'은 봄을 느끼는 마음이다. 한자에 '惷'이란 글자가 있다.
봄춘자 밑에 마음심자가 붙어있다.
흐트러질준, 꿈틀거릴준, 어리석을준 이라고 주석이 달려있다.

'봄'이란 단어를 생각하면 왠지 마음이 나른해지기도 하다가,
뭔가 새로운 것을 시도 해보려는 욕구가 마음속에서 꿈틀거리
기도하고, 섣불리 행동에 나섰다가 끝내는 어리석음에 빠지기
도하니 惷(준)자의 의미가 정말 그럴사하다.

차분히 기다리면 순리대로 해결될일을 성급한 마음에 폭력적이
거나, 권모술수를쓰거나 비겁한행동이 앞선다면 결과는 불을
보듯 뻔할 것이다.

봄은 그래서 잔인한 달이 되어 버렸다.
4.19와 5.16 그리고 5.18이 모두 봄에 일어났고, 올해 선량을
뽑는철도 묘하게 4월이다.

인생의 황혼기, 그 빛과 그림자를 담다

요즘 정가에서 벌어지는 권모술수와 이전투구를 보노라면 봄이 잉태하고 있는 의미가 새삼스러워진다.

손자녀석이 뛰놀다 사고를 당한 것도 어쩌면 봄의 기운에 역행한 탓인지도 모르겠다.

천자문을 지은 양나라 주흥사는 이처럼 '春'자에 담긴 뜻이 너무 심오해 천자문을 읽을 정도의 실력으로는 그뜻을 이해하기 어렵다고 여겨 일부러 천자문에서 제외시킨게 아닐까?

글을 쓰는도중 밖에서는 이제야 요란하게 벼락을 동반한 쏘나기가 퍼붓기 시작한다.

우산없이 집을 나섰다 돌아온 내자가 옷에 흠뻑 비를 맞고 들어오며 "무슨놈의 봄비가 이리도 요란스러워" 하고 푸념하는 소리가 들린다.

생전 장례식이라!

며칠전 신문에서 읽었다.
한 일본인이 갑자기 암 선고를 받았다.

이미 수술이 불가능할 정도로 병세가 악화되어 연명치료 외에
는 달리 방법이 없었으나 정작 당사자는 연명치료를 외면했다.

대신 평소 가까이 지내던 지인들에게 sns로 부고를 띄워 보고
싶은 얼굴을 만나보는 자리를 만들었단다.

기사내용이 현실과의 괴리감과 기상천외한 발상이긴 했지만 긍
정적으로 내맘속에 자리했다.

뭐든 처음 시작단계엔 이상하게 느껴진다.
장례식장도 그렇고
애완동물 화장시설도 그렇고
요즘 뜨는 유품처리업도 그렇다.

이런 것들이 처음엔 일본에서 유행했고 불과 몇 년 사이에 우리나라에 상륙해 자리 잡았다.
그러니 생전 장례식이라 해서 예외가 될수는 없으리라 느껴진다.

오랜기간 자리 잡았던 3일장도 점차 당일장으로 바뀔게 뻔하다.
내 젊을 때만 해도 남의 집 묘자리 잘 쓴걸 보면 한없이 부러워했는데 요즘 누가 조상묘 자랑하나?

내가 저 세상 갈때 쯤이면 이미 한국에도 생전 영결식이 유행할지도 모른다.
한때는 나죽으면 자식들 발복되는 자리에 묘자리를 써야겠다는 생각도 있었는데...

이젠 당일장에다 어느 화장로에서 이글이글 태워진후 어느 땅엔가 뿌려져 자연속에 파묻힐 날만 남은 듯하다.

생전 장례식!
다시 생각해보니 멋진 발상이다.

나 어릴 땐(1)

나 어릴땐
맨발에 꺼먹 고무신 신고 다니며
목욕은 잘해야 1년에 두번
설날과 추석 전날이나 했었지.

비오는 날은
회푸대 종이 반으로 접어
머리에서 허리까지 동여매고
빗물이 몸에 스며들지 못하게 했었지.

학교에서 우유배급 주면
쏜살같이 집으로 달려와

밥에 쪄서 식구들과 나눠 먹고
반은 남겼다 다음날 점심끼니 했었지.

학교 끝나면 집을향해
신작로 따라 걸으며
길가의 삐리기 새순 뽑아먹고
쟁기로 뒤엎은 물 마른 논 가운데서
동글고 까만 올망대캐서
껍질 벗긴 하얀 속살을 맛있게 먹었지.

찔레나무 새순나면
마을입구 숲에서 새순 껍질 벗겨먹고
활짝핀 아카시아꽃
몇움큼 훑어 먹으며
허기진 배속의 요기를 채웠었지.

나 어릴 땐(2)

나 어릴땐
버들가지 꺾고 호드기 만들어
이골목 저골목 불며 다녔지.

풍뎅이 모가지 비틀어 날 땅에 뉘여놓고
제자리 맴돌며 용쓰는 미물의
애처로운 날갯짓 모르쇠하고
오직 손뼉만 치며
'앞마당 쓸어라 뒷마당 쓸어라'
철없이 굴었지.

인생의 황혼기, 그 빛과 그림자를 담다

김장밭 덤불 위에
말잠자리 한쌍 엉겨붙어 흘레질 할 때면
살금살금 기어가 사랑에 푹 빠진
녀석들을 덥석 잡아버렸지.

잡힌놈 양날개에
노오란 호박꽃 분칠(粉漆) 해
다리묶어 머리위에 날게하고
호기심에 덤벼드는 친구잠자리
그놈마저 포획해 버렸지.

검게 그을린 알몸으로
팬티만 걸치고 뛰놀며
냇가 똥게 굴에 손집어 넣었다가
똥게의 반격으로 손가락 물리기도 했지.

홧김에
잡힌놈 행길에 신나게 패대기쳐 죽여도
벼농사 해치는 놈으로 낙인되어
야단치는 어른 없었지.

밤이 되어
총총히 빛나는 은하수아래

별똥별 떨어지고
개똥벌레(반딧불이) 하늘향해 날아 오르면
빈 콩깍지에 반딧불이 가둬 팔흔들며
'뻑뻑개롱, 뻑뻑개롱'
외쳐댔지.

하늘향해 날던 개똥벌레
콩깍지속 바딧불이 광채에 유혹되어
동료 구하려 포물선 그리며
콩각지로 내려 앉다가
하나둘씩 순순히 잡혀들었지.

인생의 황혼기, 그 빛과 그림자를 담다

나 어릴 땐(3)

나 어릴때
벼이삭 필무렵이면
논두렁 헤집고 다니며 메뚜기 사냥했지.

볏잎 갉아먹고
노랗게 살이붙은 메뚜기
병속에 잡아넣기도 하고
강아지풀에 꿰매기도해서
무쇠솥에 튀겨내면 별미중 별미였지.

벼 벤논 배회하며
벼이삭 주워 양식에 보태고

물기 잦아든 땅속에 용케도 숨어든
우렁집 척보고 찾아내
아궁이속 불에 튀겨내 영양보충 했었지.

살오른 개구리
작살로 후리쳐 몸통은 땅에 묻고
뒷다리만 취하여
콩대위에 올려놓고 불을 지펴
지글지글 익을때
소금찍어 삼키면 꿀맛중 꿀맛이었지.

냇가에서 송사리 뜰때
다리에 붙어 피빨던 그머리
집까지 달고온 줄도 몰랐다가
살갗 뚫려 피흐를 때에야 알고
기절초풍 했었지.

낮에 차린 밥상은
파리밥인지 사람밥인지
잠시만 한눈 팔아도 파리떼가 점령했지.

여름밤엔
윙윙거리는 모기소리 귓볼에 맴돌고

인생의 황혼기, 그 빛과 그림자를 담다

따끔하고 무는 느낌들때
손바닥으로 후리쳐
눈뜨면 온몸이 핏자국으로 얼룩졌었지.

나 어릴 땐(4)

나 어릴 때
이십리 밖 연암산 자락 뿌옇게 흐리면
어느 새 연암산은 시야에서 사라지고
영락없이 한줄기 소낙비 뿌렸지.

마당에 널어놓은 고추며 질금이며
비 맞을라 멍석에 말아 두고
들 나간 엄마대신 큰일했다 으쓱댔지.

내 건너 소나무에 외발 딛고
평화로히 오수 즐기던 황새 한쌍도

갑자기 달려온 소낙비 피하느라
오르락 내리락 허둥 댔었지.

비갠 새벽 엄마 따라 뒷 산 오르면
밤새자란 싸리버섯 먼저 따려고
동네 아낙들 시샘하며 몰려 나왔지.

나 어릴 때
눈 내리던 춥디 추운 겨울날엔
누린내 풍기는 누나의 인두질...
토닥거리는 엄마의 다듬질...
화롯불에 익어가는 군고구마...
냄새 와 시끄럼을 만끽하며
앉은채로 사르르 잠이 들곤했지.

방바닥 식어 한기 올라오면
낫 들고 뒷동산으로 달려가
삭정이 따고 청솔가지 베어내
아궁이에 훨훨 태우며 군불지폈지.

굴뚝에서 마파람쳐와 불이 낼때면
부엌이 연기천지로 변하고

눈코로 스며든 매운연기에
눈물 콧물 범벅되어
소매끝으로 훔쳐내느라
한동안 정신 잃기도 했지.

삭정이도 동나고 청솔가지도 동나면
아궁이에 왕겨붓고 부지깽이로 뒤척이며
팔 떨어져라 풀무 돌려 불을 피웠지.

풀무질 할때 불이내면
화기가 아궁이 밖으로 솟구쳐나와
얼굴이 화끈대고 순식간에 눈썹마져
그을려 놓았었지.

나 어릴 땐(5)

1. 나 어릴 땐
동네 어른들 틈에서 농사짓는법 배우며
시간나면 농사일 거들었지.

해마다 한식무렵엔
큼직한 항아리에 소금물 채우고
씻나락 띄워 알찬 놈만 골라낸 후
써레질한 논바닥에 모판 만들어
고루 고루 뿌려 놓았지.

달포 지나 모내기 시작되면
나는 못줄 잡아 넘기고
어른들은 곤죽 속에 모를 꽂았지.

새참때 아낙들이
광주리 음식 논두렁에 내놓으면
'시장이 반찬'이라
마파람에 게눈 감추듯
농주 곁들여 순식간에 해치웠지.

2. 나 어릴 땐
동네 어른들 틈에서 농사짓는법 배우며
시간나면 농사일 도왔지.

'얼럴럴 상사디야'
논매기가 시작되면
나도 호미들고 물논에 들어가
농사체험 해 봤었지.

농사일중 제일 힘드는 건
모사이를 엉금엉금 기며
호미로 흙 뒤집는일,
한번 따라하고 지쳐 쓰러졌었지.

논에선 피사리
밭에선 깜부기 뽑아내기

　　　　　　　인생의 황혼기, 그 빛과 그림자를 담다

농부가 거들떠보지 않아도
피와 깜부기는
뭘먹고 그리잘 퍼지는지.

태풍이 휩쓸어도
벼멸구와 들쥐들은 먹을게 지천이라,
신나게 날고 기었지만
쓰러진 벼 일으키는 농부들 가슴엔
시름만 깊어갔지.

3. 나 어릴 땐
동네 어른들 틈에서 농사일 배우며
틈틈히 농사일 도왔지.

칠월의 땡볕아래 노랗게 영근 보리
한줌씩 바수거리에 올려 마당에 풀고
도리깨질로 이삭털고
풍성기 돌려 검불 날린다음
낟알은 멍석에 말려 여름 양식했지.

보리밥에 열무넣고 고추장에 비벼먹으면
배는 금방꺼지고 방귀만 픽픽 꾸며 다녔지.

보리밥 시부정 찿아 시장끼들면
감자찌고 옥수수찌고 단호박도 쪄서
긴긴여름 주린 배를 채웠지.

4. 나 어릴 땐
동네 어른들 틈에서 농사일 배우며
간간히 농사일 거들었지.

갈걷이 할 때면
나보다 더 큰 지게 짊어지고
바수거리 떼낸 지게위에
볏단 열개 싸올리고 작대기 짚고 일어나
비틀 비비틀 마당에 부렸지.

마당질 할때면
탈곡기 빌려 벼이삭 가지런히 올려놓고
"가궁 가궁" 소리내며 돌아가는
탈곡기 발판 쉼없이 밟아댔지.

떨어진 낟알은 고무래로 긁어내어
가마니 담아 방앗간집 정미맡기고
공출한 나머지로

인생의 황혼기, 그 빛과 그림자를 담다

비료값 외상값 제하고나면
일년양식 달랑달랑 했지.

마당질 전 양식 동이나면
즈레 먹을 식량 만드느라
서있는 벼 몇줌 베어내어
마른논에 멍석깔고 도급으로 훑어 낸후
절구통에 쏟아 붓고 돌절구로 수없이 내리쳐 벼껍질 벗겨냈었지.

5. 나 어릴 땐
동네 어른들 틈에서 농사일 배우며
틈틈히 농사일 도왔지.

탈곡이 끝나면
둥그렇게 짚동가리 쌓아두고
아침저녁 여물 만들어 소 구수에 넣어주고
땔감이 부족할때 군불로도 지폈지.

찬바람 몰아치는 입동추위 때면
볏짚으로
지붕 새로 일고
문마다 창호지 바르고

문풍지도 새로 하고
햅쌀로 시루떡 쪄서
시원한 동치미 국물 마시며 배를 불렸지.

한 겨울엔 웃목에서 새끼도 꼬고
가마틀 매놓고 가마니도 짰었지.
지금 생각하면 원시인 수준이었지.

고생하며 키운 아들 딸들
저들이 하늘에서 떨어져 절로 큰 것처럼
철없이 행동해 보이는건
비단 내 생각만은 아니겠지.

부모들아.
밀알같은 고생은
이글 읽으며 훨훨 털어 버리세.
탈곡기에서 벼 낟알이 떨어져 나가는것 처럼.
그래야 저승 갈 때 맘속에 걸림이 없겠지.

인생의 황혼기, 그 빛과 그림자를 담다

잡초를 보노라면

계절은 이미 가을 문턱을 넘어 섰으나
연일 지속되는 무더위로
매미의 울음소리만 점점 커져가고
처서(處暑)는 더위에 밀려 겸연쩍어
하고있다.

폭염은 오늘도 갈길을 잃은 채
저주받은 영혼처럼 중천을 맴돌고 있다.

가을 맞으려 달려나오던 소나기
폭염을 만나자
기절초풍 달아난다.

오보청은 비난에 겁이질려
맘에 없는 눈치예보하다
신뢰만 땅에 떨어뜨렸다.

폭염탓에 노약자는 병원에 줄을서고
지상의 초목들은 애타게 물을 찾으며
서서히 시들어만 간다.

오직 건재하며 쾌재를 부르는건
길가에 제멋대로 자라난 잡초의 무리뿐.

어느놈은 아스팔트 틈새를 비집고
어느놈은 보도부럭 틈새를 비집고
어느놈은 콘크리트 틈새를 비집으며

마치 일제에 항거하던 우리 민족처럼
모진세파 잘도 견디어 낸다.

잡초를 보노라면
일제에 맞서 싸우시던 동요작가
'윤석중'님의 시가 떠오른다.

인생의 황혼기, 그 빛과 그림자를 담다

[절벽에서 떨어져도 폭포수는 다시 살아나고
서로갈린 시냇물은 바다에서 만난다네]

90세까지 '새싹회'를 이끄시다 영면하신 '윤석중'님은
우리모두가 익히 아는 동요작가요

[새나라의 어린이는 일찍 일어납니다. 잠꾸러기 없는나라 우리
나라 좋은나라] 의 작사가 이시기도 하다.

언어의 색깔과 내음

제주시에 가면 삼성혈이란 신화 발상지를 만날 수 있다. 몇 그루의 소나무가 가운데의 주먹만 한 작은 구멍을 향해 비스듬히 서 있다.

펜스를 쳐놓아 출입을 금하고 있지만 30여 년 전 방문 시에 펜스를 훌쩍 넘어 들여다본 기억이 있다.

신화라곤 하지만 어처구니없는 내용이다.
이 구멍에서 고씨. 양 씨. 부 씨의 시조가 출현했단다.

사실 제주엔 고씨 성을 가진 분과 양 씨 성을 가진 분이 많다.
부 씨 성은 별로 없는 듯하며 실제는 김 씨가 제일 많다.

삼성(三姓) 간의 호칭 순위 표현이 재미있다.

고씨는 당연히 다수라는 입장에서 자신의 성을 앞세워 고량 부라 말하며 양 씨는 양고 부라 표현하고 부 씨는 부고량으로 표현한다.

자신의 세를 과시하려는 속성은 이처럼 가문 상호 간에도 뚜렷하게 드러난다.

자존심이 결부된 때문이다.

국가 사이도 마찬가지이다.

자국을 먼저 호칭하는 것이 불문율이며 타국 간에는 강한 나라와 친한 나라부터 앞에 호칭하고 그렇지 않은 나라는 뒤에 호칭하는 것이 원칙이다.

타국 간의 호칭은 그때그때의 시대상과 이해관계에 따라 변해간다.

하나의 예를 들어본다.

나의 학창시절엔 반일감정 때문이겠지만 "청일전쟁" 과 "러일전쟁"이라 배웠다.

내 부모 때 쓰던 책을 보니 "일청전쟁" 과 "일로 전쟁"으로 표기되어 있다.

한참 전 우리 애들 교과서를 보면 다시 "일청전쟁" 과 "일로 전쟁"으로 표기되어 있다.

승자를 패자 앞에 호칭하는 것이 맞는다는 생각에 「우리 시대에 잘못 배웠구나! 」하고 인지했었다.

바야흐로 "친중 좌파 정부" 가 들어섰으니 양국 간의 호칭도 우리 시대처럼 되돌려지지는 않았나 모르겠다.

북한 공산집단을 포용하려는 세력이 들끓고 있는 요즘의 언어 구사를 보면 거부감이 곳곳에서 느껴진다.

같은 민족이긴 하나 북한은 우리의 주적일 뿐이며 미국은 우리의 맹방이다.
방송사마다 앵커들은 한결같이 "북미회담"이라며 화두를 꺼낸다.

"미북 회담"이라 해야 시대정신에 맞지 않는가?

평창올림픽 때 북한 실세들이 남한에 왔을 때도 그들은 애써 의도적으로 "방남" 이란 표현을 했다.
북한 당국자라면 "방남" 이란 표현이 맞다.
우리 측 인사도 북한 가는 걸 "방북"한다 하니까 격이 맞겠지.

인생의 황혼기, 그 빛과 그림자를 담다

여기는 엄연한 대한민국이다.
그렇다면 "방한"이라 해야 한다.
북측의 구호를 따라 "방남"이라 할 수 있는가?

고려 말에도 친명파와 친원파가 갈려 언쟁을 했고, 조선시대도 동인과 서인으로 나뉘어 싸웠으며, 구한말에도 친일파와 친청 파가 서로 갈렸다.

지금은 친중파와 친미파로 갈라져 이전투구 중이다.
언어에 나타나는 색깔과 내음만 보면 그가 친중인지 친미인지 금세 드러난다.

전국이 친중파로 득실거린다.
친중과 친북이 반드시 나쁜 건 아니다.
내가 거부하는 건 체제를 반대하는 것이다.

자유 대한민국을 더더욱 발전시키려면 영, 미 와 같은 서구 자 유세계와 어깨를 나란히 해야 한다

"먹느냐, 먹히느냐" 의 중대 기로에 선 지금 이 땅에 숨 쉬고 있 는 자가 자유를 포기하고 포악한 독재자들을 향해 침을 흘리는 꼴은 정말 한심스럽고 통탄스러운 일이다.

방송인들은 언어의 유희로 색깔과 내음을 표출하며 시청자를 현혹시키지 말아야 한다.

파국에 치닫게 되면 그대들의 꿈도 무참히 짓밟히게 된다는 걸 잊지 말아야 한다.

새 와이셔츠

유행은 돌고 돈다.
바짓가랑이는 넓어졌다
좁아지길 반복하고
넥타이 폭도 따라서
넓어졌다 좁아졌다 하며
치마 길이마저
길었다 짧아지길 반복한다.

헤어스타일도 예외는 아니다.
상고머리와 장발이
주기적으로 순환하며
단발머리와 댕기머리도
시간을 두고 순환을 거듭한다.

유행이 시작될 땐
어색하게 느껴지지만
시간이 지나면
자연스러워 지게 마련이다.

어제는 지인에게서
와이셔츠 하나 선물 받았다.
색상도 디자인도 맘에 든다.

이런 감정이
다림질해서 착용하려는 순간
심히 불편스러워
허탈감으로 바뀌어 버렸다.

신분증과 교통카드가 든
얇은 지갑을 넣으려고
평소처럼
왼쪽 가슴 위를 더듬거렸지만
이 와이셔츠엔
주머니가 전혀 달려있지 않았다.
「재단사가 중대한 실수를 했군!」

그 유용한 주머니를 빼놓다니.

인생의 황혼기, 그 빛과 그림자를 담다

하필이면 실수로 만든 와이셔츠가
내게 돌아올게 무어람.

출근시간이 바빠
그냥 입고 중얼거리며
지갑을 겉옷에 집어넣었지만,
분실될 것 같은 마음에 자꾸 신경이 쓰였다.

「어처구니없는 재단사의 실수?」를

직원들에게 성토하고 나서야
요즘은 주머니 없는 와이셔츠가
대세란 걸 알고
겸연쩍어 얼굴이 붉어졌다.

이것도 유행의 한 단면일 테지만 불편해서
오늘은 주머니 달린 옷으로 갈아입었다.

'계속 입다 보면 익숙해져 불편이 없어질까?'

하지만 보수적인 성격이라 쉬 동화되기가 어려울 듯하다.

전방은 이상없다

올해는 윤달이 끼어 추석절이 다소 늦게 왔다.
덕분에 벌초하면서 알밤을 주워 모으는 재미를 맛보았다.

지난 주에 직근 선조님 벌초를 마치고 어제는 먼 선조님 벌초
에 참여했다.
조선조 초에 벼슬한 분이라 봉분도 크고 묘역도 넓어 해마다 다
수의 종인들이 모여 함께 작업을 한다.

묘역이 비무장 지대에 있어 출입시마다 군부대의 통제를 받아
야한다.
보통 주민등록증만 제시하면 명절 전 후 15일간은 어렵지 않
게 출입할 수 있었다.

올해는 전쟁 위기설 때문인지 출입이 꽤나 더디고 까다로왔다.
신분증은 물론이고 민원청에서 작성하듯 두어가지 서식을 더 작성해 제출했다.
그러고도 미덥지 못한 듯 병사 두명이 아예 우리 차에 올라타 벌초가 다 끝날 때까지 현장을 지켜봤다.

우리 일행은 번거로움에 대한 불평보단 오히려 듬직하고 흐뭇함을 느꼈다.
"왜 엿겠나?"
통치권자와 주변 참모들의 안보관에 심히 불안을 느끼던 때문이지.

벌초를 마치고 통일촌 부녀식당에서 식사할 때엔 그들도 자리를 함께했다.
우리는 손자 또래의 그들을 따뜻하게 맞이해 주며 위로도 잊지 않았다.

벌초 과정에서 올해도 예초기에 옷이 찢겨나가는 아찔한 일이 있었다.
자칫 생명을 앗아갈 뻔한 사고였다.
정녕 하느님이 보우하신 것이다.

"이땅을 지키는 믿음직하고 훌륭한 병사들이 정치권의 망발에 동요되지 않음이 하느님의 보우하심인 것처럼."

어제 나는 두눈으로 똑바로 보았다.
"전방엔 이상이 없음을."

伏中閑談

서늘한 바람이 열려진 현관문과 안방 창문을 관통하며 오랜만에 상쾌함을 안겨준다.

"옳거니! 오늘이 立秋렷다."

예년엔 立秋 다음날이면 대개 庚日인 末伏이 들어섰지만 올핸 庚日이 立秋전날에 다녀갔다.

그 때문에 末伏은 아직도 9일을 더 기다려야한다. 늦더위가 예상되는 이유이기도 하다.

작년도 덥다덥다 했지만 올 여름엔 비길바가 못된다.
이런 혹독한 더위지만 에어컨 가동없이 지내봤다.
폭탄 전기요금이 걱정되기도 했지만 그 보다는 다른 이유가 있다.

나이가 들다보니 내자와 생활공간에 경계가 생겨버렸다.
나는 주로 안방에서, 내자는 주로 거실에서 시간을 보낸다.

내방엔 벽걸이 에어컨이 있고 거실에도 스탠드형 에어컨이 설치되어 있었다.
거실 에어컨은 손자들과 함께 지낼때 효용을 발휘했었다. 녀석들 다 떠나가고 지금은 전기요금이 부담돼 철거해 버렸다.

요즘같은 무더위에 안방에서 함께 기거하면 시원할텐데 한사코 합방을 사양한다.
덥디더운 거실에서 선풍기 하나 의지하며 땀을 흘려대는 내자 보기 민망해 나도 에어컨은 눈으로만 보고 선풍기만 돌리기로 했다.

이제 더위도 상투를 지나 내리막길로 내닫고 있다. 남들은 전기요금 걱정인데 우리집은 예년 수준이다.

인생의 황혼기, 그 빛과 그림자를 담다

좌파정부도 염치는 있는지 한여름 가정용 전기료 누진제를 완화하겠다는 소식이다.

그럴경우 내집 전기료는 오히려 작년 이맘 때 보다 저렴해질지도 모른다.

어쨌거나 70대 중반의 노년기에 이토록 진부한 모습으로 더위와 싸워보니 뭐든 한번 해볼만 하다는 자신감이 선다.

복중에 가만 앉아 있어도 땀이 솟는데 주말이면 토,일 양일간 거르지않고 대여섯 시간 산행도 했다.

아직은 모두들 더위에 지쳐 기진맥진한 모습인데 나는 오히려 자신감이 생긴다.

시원한 바람이 또 다시 살갗을 간즈리며 스쳐간다.

'아~ 정말 상쾌하다.'

올 여름은 내자덕에 강인한 마음으로 더위를 물리치며 어려움을 잊고 지냈다.

매미들은 해가 넘어간 줄도 모르고 짝을 부르느라 아직도 연실 목이터쳐라 울어댄다.

인생의 황혼기, 그 빛과 그림자를 담다

지나고 나면 모든 게 아름다운 추억이 된다

발행일 2024년 6월 10일

지은이 박익순
펴낸이 마형민
기획편집 조도윤
디자인 김안석
펴낸곳 (주)페스트북
주소 경기도 안양시 안양판교로 20
홈페이지 festbook.co.kr

ISBN 979-11-6929-506-2 03810
값 18,000원